RESTAURACIÓN y RENOVACIÓN de muebles

Eva Pascual Miró
Mireia Patiño Coll
Ana Ruiz de Conejo Viloria

TD TÉCNICAS DECORATIVAS

Parramón

RESTAURACIÓN y RENOVACIÓN
de muebles

Parramón ediciones, s.a.

Sumario

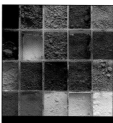
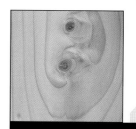

3
capítulo
PROCESOS

4
capítulo
RESTAURACIÓN

5
capítulo
RENOVACIÓN

Introducción

ediante la restauración o renovación de muebles se consigue crear ambientes únicos y personales. Las tendencias actuales en decoración persiguen la creación de espacios abiertos en los que predomina, por encima de todo, la personalidad de sus usuarios. La disposición de muebles u objetos recuperados por nosotros creará una atmósfera propia e innovadora.

La información que aporta este libro resultará útil a los profesionales y a los que se inician. Los primeros encontrarán una fuente de información, así como procesos y soluciones a casos particulares, y para los segundos será una guía de los pasos y procesos que deberán seguir, así como un manual de consulta. Cada lector podrá escoger, según sus necesidades y conocimientos previos, el capítulo o tema que le interese. En los primeros capítulos se exponen los materiales y herramientas que intervienen en los trabajos, poniendo especial atención en la madera como material: tipos, problemas y soluciones. En el capítulo tercero se explican los procesos más usuales que se emplean para restaurar o renovar una pieza, aportando soluciones a los problemas más comunes. A partir del capítulo cuarto se describen paso a paso ejemplos prácticos de la restauración y la renovación de diversos tipos de muebles y objetos realizados en diferentes materiales. Los ejemplos que se exponen son, por la propia naturaleza de las piezas, únicos, pero las soluciones y los sistemas resultan fácilmente extrapolables a cualquier trabajo que se desee emprender. Esperamos que esta obra, resultado del esfuerzo de un colectivo de profesionales, sirva como base para aquellos que deseen iniciarse en el oficio y de referencia para los ya iniciados.

Eva Pascual, Mireia Patiño y Ana Ruiz de Conejo

Restauración y renovación: tendencias y materiales

El mobiliario es la base sobre la que se articula la decoración de interiores. La elección de los muebles y su distribución en el espacio configura la imagen y conforma los ambientes de cualquier estancia. Las piezas de mobiliario definirán, en muchas ocasiones, el uso del espacio, mientras que los objetos reforzarán la estética del ambiente. La decoración de interiores se basa en la correcta elección de los objetos y muebles en función de nuestras necesidades y gusto personal. Por ello la restauración o renovación de elementos decorativos permitirá conseguir piezas únicas que reflejarán nuestro gusto y personalidad, en contraposición a la uniformidad de las piezas fabricadas industrialmente. Nuestra creatividad, en el caso de la renovación, y nuestro gusto y criterio, en el de la restauración, serán los únicos límites a nuestro trabajo.

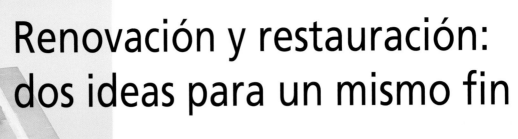

Renovación y restauración: dos ideas para un mismo fin

Los trabajos de restauración o renovación, si bien requieren procesos distintos y dan como resultado soluciones diferentes, persiguen un mismo fin: la consecución de ejemplares únicos. Éste se logra gracias a que es posible devolver el aspecto original de un mueble u objeto mediante su restauración o transformando radicalmente su aspecto mediante una renovación. Ambos trabajos aportan piezas diferentes a nuestro entorno que pasarán a formar parte de nuestro espacio cotidiano.

Restaurar

Restaurar cualquier objeto implica retornarle el aspecto y la calidad originales. Todo trabajo de restauración se sustenta sobre unos principios específicos. El primer aspecto que se tendrá en cuenta, y que guiará los pasos de nuestro trabajo, será establecer los problemas y necesidades de la restauración. Ello requiere investigar y documentarse sobre la tipología, los materiales y sistemas constructivos del objeto. Sólo así podremos establecer las soluciones correctas para una restauración global.

Los muebles y objetos restaurados deben poder desempeñar la función para la que fueron creados. Es preciso preservar todos los elementos originales posibles, sólo se sustituirán cuando impidan su buen uso o funcionamiento. Elementos accesorios como mármoles, tiradores, bocallaves y espejos se conservarán; sólo se les efectuará una limpieza. Siempre que sea posible, las reparaciones serán reversibles.

El trabajo de restauración no puede afectar la calidad del objeto; de modo que el proceso de ejecución y los materiales empleados deberán mantener la valía de la pieza. El acabado final de la madera será similar al original. No se añadirán partes de otros muebles u objetos innecesarios o acabados diferentes de los de origen o de fantasía. Una restauración no implica transformar el aspecto exterior de una pieza; por el contrario, se respetará al máximo la integridad de cada parte y la globalidad del objeto o mueble.

Un mueble de despacho antiguo restaurado decora un rincón de un salón. Este espacio, muy estrecho y situado entre dos puertas, era difícil de decorar. El mueble de pequeñas dimensiones permitió solucionar una zona conflictiva.

Renovar

Renovar una pieza de mobiliario o un objeto implica transformar y adecuar su aspecto y estructura para adaptarlos a nuestro gusto y necesidades. La renovación, a diferencia de la restauración, no tiene restricciones materiales o formales y el límite a la intervención sólo lo marcará nuestra pericia e imaginación. En nuestro trabajo estará permitido cualquier proceso y solución por innovadora que sea, si bien será necesario tener en cuenta ciertos aspectos.

El paso previo será valorar el estado general de la pieza y las posibilidades de transformación que ofrece. Éstas dependerán siempre de nuestras habilidades y capacidad de proyectar y llevar a cabo las soluciones. Los procesos que intervienen en cada trabajo acostumbran a ser únicos, por ello será imprescindible establecerlos de antemano.

La renovación del aspecto exterior de un mueble u objeto comportará el cambio de algunas partes o piezas; habrá que añadir otras nuevas de materiales diversos. La transformación del uso pasará por la supresión o el añadido de partes, de diferente extensión e importancia.

La renovación de esta mesa ofrece como resultado un mueble de gran expresividad.

Tendencias en la decoración de interiores

Las últimas tendencias en decoración de interiores ponen especial énfasis en el retorno a ambientes cálidos, donde priman los materiales y las texturas en espacios adaptados, cada vez más, a las necesidades particulares de sus usuarios.

Restaurar y renovar nuestros propios muebles nos permitirá decorar nuestro entorno de una manera distinta y personal. Los materiales naturales como la madera, el mimbre, la caña, los tejidos en crudo, la pizarra, el mármol, etc. están siendo recuperados y revalorizados en contraposición a los materiales sintéticos, tan en boga en las últimas décadas. Los trabajos artesanos gozan hoy en día de una gran demanda, por lo que aportan de autenticidad y tradición a nuestro entorno. Los objetos y piezas de mobiliario confeccionados de manera artesa-

nal en países lejanos que viven una cultura diferente de la nuestra nos aportan una realidad distinta y enriquecedora que potencia sus valores decorativos.

Se prefieren los ambientes informales y frescos donde prima la practicidad y el confort, lo cual da como resultado espacios aptos para ser vividos, no sólo para ser contemplados o admirados. Los muebles de aspecto rústico y los antiguos adquieren categoría de piezas especiales y se colocan en lugares preferentes, combinados con piezas de mobiliario muy modernas, casi de vanguardia.

Materiales y herramientas

Los trabajos de renovación y restauración requieren el uso de distintos materiales y herramientas. El desarrollo de los diversos procesos que intervienen en cualquiera de estos trabajos implica en muchas ocasiones tanto el empleo de materiales corrientes como de materias muy determinadas y específicas para cada caso. La mayoría de las herramientas empleadas proceden del campo de la carpintería, pero hay otras muy determinadas que también se usan para decoración pictórica o restauración de otros materiales.

Materiales

Existen innumerables materiales para emplear en las distintas fases de una restauración o renovación. Cada trabajo será único, y los procesos y materiales empleados, exclusivos. Sin embargo, dado que hay gran cantidad de materiales que se utilizarán en casi todos los trabajos, a continuación efectuaremos una breve reseña de ellos. Su uso correcto y su manejo eficiente nos permitirán conseguir los resultados deseados; así pues, será imprescindible conocer su naturaleza, composición y propiedades.

Materiales de uso común

• Material de limpieza
Los materiales para limpiar son aquellos que se emplean asiduamente en todos los procesos. Los cabos de algodón son desechos de hilos de algodón que se comercializan en bolsas. Sirven tanto para aplicar productos como para retirarlos o limpiar una superficie, ya que penetran en los rincones de difícil acceso.

Para limpiar superficies delicadas o con entrantes y salientes lo más práctico es emplear un hisopo confeccionado por nosotros mismos. Se realiza de la siguiente manera: en el extremo de un palillo de madera largo y de grosor medio enrollamos un fragmento de algodón; con una mano sujetamos una parte de éste al palillo y con la otra asimos el otro extremo del palillo. A continuación, hacemos rotar el palillo a la vez que enrollamos el algodón con un movimiento de torsión en sentido opuesto. El algodón quedará firmemente sujeto al palillo, que nos servirá de mango.

Los paños de algodón se utilizan para limpiar superficies, abrillantar frotando la madera encerada, confeccionar muñequillas... Es conveniente que el tejido no suelte pelusilla.

Para confeccionar un hisopo: algodón y palillos.

El estropajo vegetal, como, por ejemplo, de esparto, se usa para limpiar y eliminar el repelo de la madera levantado por acción del agua; también se emplea en tapicería como relleno.

Paños de algodón.

Cabos de algodón.

Estropajo de esparto.

• Material para plantillas

Para confeccionar plantillas de molduras o de los motivos que deseamos pintar o recortar en madera necesitaremos papel de calco y papel milimetrado.

• Aplicadores

En los trabajos de renovación y restauración intervienen diferentes aplicadores, para pintar, barnizar, dar goma laca, retocar, encolar... Las paletinas son brochas planas con las que se aplican colas, barnices y, en ocasiones, goma laca. Existen en el mercado pinceles de diversas marcas, materiales y formas, cada uno adecuado para un trabajo concreto.

• Material de carpintería

En la mayoría de trabajos de restauración y renovación es necesario realizar algún proceso de carpintería, por lo que será imprescindible contar con clavos o puntas, tornillos, agujas, tachuelas y alcayatas para unir piezas de hierro, madera o tapicería. Las agujas son un tipo de puntas sin cabeza que se emplean en aquellos procesos en que se desea que no queden a la vista. Las tachuelas se usan en tapicería para fijar las cinchas y los cordeles que sujetan los muelles. Las alcayatas son clavos doblados en ángulo recto por el extremo opuesto a la punta muy adecuados para colgar objetos.

• Cintas adhesivas

Las cintas adhesivas de papel se emplean para proteger aquellos elementos que no es posible desmontar, así como las superficies durante los procesos de pintado y barnizado. El precinto o cinta de embalar es el más adecuado para unir los lados del plástico cuando se confeccionan bolsas de desinfección.

• Plástico

Se emplea para confeccionar bolsas de desinfección. El tipo de plástico idóneo es el polietileno (PET), ya que es inerte, no libera gases nocivos y resiste los productos desinfectantes.

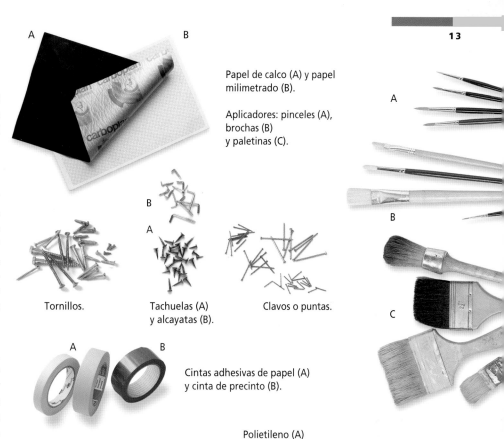

Papel de calco (A) y papel milimetrado (B).

Aplicadores: pinceles (A), brochas (B) y paletinas (C).

Tornillos.

Tachuelas (A) y alcayatas (B).

Clavos o puntas.

Cintas adhesivas de papel (A) y cinta de precinto (B).

Polietileno (A) y plástico para uso alimentario en rollo (B).

• Material de protección

Es imprescindible usar material de protección siempre que se manipulen productos peligrosos. Nos protegeremos del polvo y los vapores nocivos con una mascarilla homologada. Nunca emplearemos filtros o mascarillas caducados. Las gafas protectoras están especialmente indicadas en los procesos de decapado. Los guantes de neopreno serán necesarios cuando se manipulen sustancias irritantes, como decapantes, sosa cáustica...

Guantes de neopreno (A), guantes de piel y tejido (B), guantes de tejido con recubrimiento antideslizante (C).

Mascarilla de filtros intercambiables (A) y filtros antivapores (B).

Mascarilla desechable antivapores y contra el polvo.

Mascarillas desechables antipolvo.

Protectores oculares.

Productos de limpieza y decapado

• Lijas y tacos

El secreto de un buen acabado (barnizado, pintado, a la goma laca, encerado...) es un buen lijado, por lo que conviene emplear el papel de lija adecuado para cada caso. Los papeles de grano grueso son los indicados para lijar en profundidad superficies en mal estado; las lijas de grano fino se utilizan para pulir la madera antes de recibir el acabado. El papel de lija también se emplea en algunos procesos de pintura para simular un aspecto envejecido. Para efectuar una fuerza uniforme al lijar es recomendable emplear un taco al que acoplaremos el papel de lija. Los tacos de espuma con la superficie de lija son los más adecuados para lijar superficies curvas o con desniveles.

• Lana de acero

Se utiliza para eliminar o pulir barnices y en ciertas técnicas pictóricas para proporcionar un aspecto decapado o envejecido. Existen diferentes gruesos, desde la más gruesa (0) hasta la más fina (0000). Se vende en pequeños paquetes o en rollos para uso industrial.

• Limpiadores

Para limpiar las superficies de los objetos o muebles puede utilizarse una mezcla desengrasante a base de agua, jabón neutro y amoníaco. El jabón neutro tiene un pH 7 y su empleo en mezcla o solo asegura la perfecta conservación de la madera. El amoníaco es un poderoso limpiador y se utiliza también para activar mezclas decolorantes. Para manipularlo de forma segura nos protegeremos con una mascarilla específica para vapores de amoníaco.

• Decapantes

Son productos químicos que se utilizan para eliminar el barniz o la pintura del acabado de los muebles. El alcohol es un buen decapante para barnices antiguos compuestos de goma laca. Resulta muy recomendable, ya que es inocuo y tiene un precio bastante asequible. Los decapantes comerciales son productos químicos para eliminar pintura y barniz sobre cualquier tipo de madera. Deben manipularse con precaución (guantes, mascarilla y protectores oculares) y siguiendo las instrucciones del fabricante. Para eliminar pintura y barniz sobre madera maciza de pino, puede utilizarse sosa cáustica diluida en agua. Nos protegeremos igual que con los otros decapantes.

• Productos para limpiezas específicas

La limpieza de algunas partes constituidas por materiales diferentes de la madera requiere el uso de materiales y técnicas muy específicos. Para limpiar cierto tipo de metales recubiertos con pátina se emplea una mezcla de aceite vegetal con trípoli. El trípoli es un material procedente de piedras calizas silíceas que sirve para pulir superficies. Otro material muy útil es la tosca, una piedra caliza finamente molida que se emplea como componente de las mezclas limpiadoras y para tapar el poro antes de dar el acabado final a la madera.

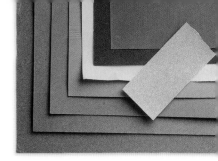

Tacos.

Diversos tipos de papel de lija.

Decapante gel (A), sosa cáustica (B) y estropajo (C).

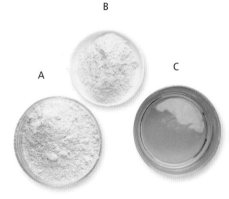

Tosca (A), trípoli (B) y aceite vegetal (C).

Lana de acero.

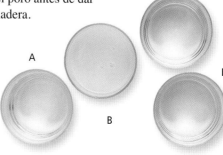

Alcohol (A), jabón líquido neutro (B), agua destilada (C) y amoníaco (D).

Productos desinfectantes

• Desinfectantes comerciales

Se debe aplicar un tratamiento desinfectante siempre que haya indicios de la presencia de insectos. Son líquidos que se aplican sobre la madera y se inyectan en los agujeros dejados por el insecto. Dado que son productos altamente tóxicos, para manipularlos se utilizarán guantes y mascarilla antivapores, y se trabajará en un espacio ventilado.

• Timol

Desinfectante que se obtiene del tomillo y otras plantas. Es un poderoso antifúngico. Se emplea líquido disuelto en alcohol.

• Paradiclorobenceno

Es el principio activo de las pastillas o bolas antipolillas. El paradiclorobenceno se presenta sólido, aunque su acción radica en los vapores que emana. Su efectividad finaliza una vez acabada su aplicación.

Paradiclorobenceno (A), timol (B) y desinfectante comercial líquido (C).

Tintes y decolorantes

• Pigmentos

Los pigmentos son la materia coloreada a la que no se le ha añadido ningún aglutinante o vehículo, es decir, antes de formar la pintura. Según la materia de su composición pueden ser orgánicos o inorgánicos. Se utilizan sobre todo para colorear ceras, pinturas y barnices.

• Tintes

Los tintes universales son pastas pictóricas líquidas que contienen pigmentos solubles. Se usan para dar color o variar el tono de pinturas ya existentes. Para teñir la madera se pueden emplear diferentes tipos de tintes: anilinas al agua, anilinas al alcohol, betún de Judea o nogalina. Las anilinas son tintes sintéticos, las más cómodas de usar son las solubles en agua, aunque tienen la desventaja de levantar el repelo de la madera. Se preparan disolviendo la anilina en agua caliente y agitando frecuentemente. El betún de Judea es un tinte de color marrón profundo muy cubriente y de gran poder colorante. La nogalina es un extracto de la cáscara de nuez que disuelto en agua da como resultado un tinte marrón tostado.

Pigmentos.

• Decolorantes

El ácido oxálico se prepara para su empleo en una solución sobresaturada en agua, poniendo cristales de oxálico en agua caliente de manera que siempre quede un poso de producto sin disolver. Una vez seco, hay que lavar la superficie con abundante agua corriente hasta la total eliminación del ácido oxálico. Es imprescindible usar mascarilla y protectores oculares durante su manipulación. Otro potente decolorante es el peróxido de hidrógeno concentrado al 30 % p/v o de 110 vols., también llamado agua oxigenada concentrada. Conviene lavar el objeto con agua corriente después de conseguir el tono deseado.

Diversos tintes universales.

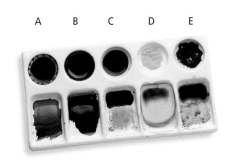

Tintes para madera: anilina con disolvente (A), betún de Judea (B), anilina al agua (C), anilina al alcohol (D) y nogalina (E).

Agua oxigenada (A) y ácido oxálico (B).

Productos para fijar, rellenar y sustituir

• Ceras y lacas

Las ceras duras se comercializan en forma de barras y en una amplia gama de colores que se adaptan a cualquier tonalidad de la madera. Se emplean para rellenar pequeños defectos y para tapar orificios dejados por los insectos. Las lacas se utilizan para rellenar y disimular defectos algo mayores de la superficie de la madera. Se calientan y se aplican en estado líquido. Solidifican rápidamente, dando como resultado una superficie dura y brillante, por lo que son adecuadas para rellenar pérdidas de madera que ya ha recibido el acabado.

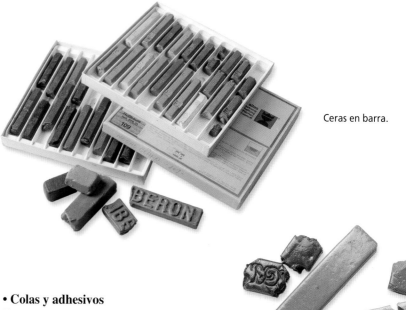

Ceras en barra.

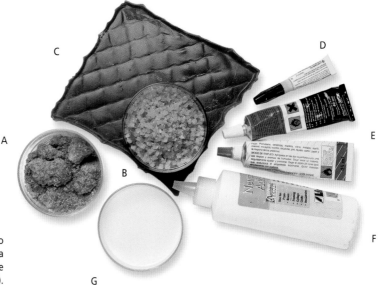

Laca en barras.

• Colas y adhesivos

Tanto en los trabajos de restauración como en los de renovación se pueden emplear diferentes adhesivos; los más usuales son: la cola blanca, el pegamento de cianocrilato, el pegamento rápido, la cola de conejo y la cola fuerte. La cola más común empleada es la cola blanca de carpintero; es un acetato de polivinilo soluble en agua. Para uniones pequeñas y puntuales se puede utilizar un pegamento instantáneo a base de cianocrilato. El pegamento rápido está muy indicado para uniones temporales, ya que se elimina fácilmente con acetona. Las colas animales como la cola fuerte o la cola de conejo se preparan y se aplican en caliente y su uso se circunscribe a los trabajos de restauración.

Masillas.

• Masillas

Son productos comerciales en pasta que se emplean para recubrir y rellenar defectos o grietas. Al secarse adquieren una textura y aspecto similares a la madera. Algunos tipos de masilla (una vez seca) pueden teñirse y trabajarse igual que la madera.

Adhesivos: cola fuerte (A), cola de conejo granulada (B), cola de conejo en placa (C), pegamento a base de cianocrilato (D), pegamentos rápidos (E), cola de acetato de polivinilo (PVA) neutra (F) y cola de carpintero (G).

Goma laca en escamas.

Cera de abeja.

Cera en polvo (A), cera teñida (B),
cera líquida (C), ceras en crema (D).

Productos para acabados

• Goma laca

Es la secreción de la cochinilla de laca que vive sobre diversas clases de árboles en la India y Tailandia; constituye la única resina de origen animal. Se presenta en forma de escamas y es soluble en alcohol. El acabado con goma laca es brillante y de alta calidad, aunque muy delicado.

• Ceras

Son mezclas de ceras animales, vegetales y/o minerales que junto a un diluyente proporcionan un sólido untuoso al tacto. Existen múltiples variedades de cera para muebles en el mercado: líquida, en polvo, en crema, pura de abejas, incolora, de color natural, teñida... Proporcionan un acabado satinado a la madera.

• Retoques

Para pequeños retoques una vez finalizados los trabajos, se usan lápices de tintes variados a semejanza de las distintas maderas más comúnmente empleadas en la fabricación de muebles. También se pueden efectuar retoques con pincel con un tinte de base cetónica que no levanta el poro de la madera y ofrece buena resistencia a la luz. Los reparadores comerciales se utilizan para retornar el tono a la madera, corregir pequeños defectos de color o limpiar superficies.

• Pinturas

Las pinturas más empleadas para decorar piezas de mobiliario y objetos son el esmalte y la pintura plástica, ambas de producción industrial. El esmalte es una pintura fabricada a partir de barnices oleosos sintéticos que permite un acabado liso y brillante; su disolvente es el aguarrás. La pintura plástica se fabrica con resinas vinílicas, acrílicas o de poliéster; su disolvente es el agua. La pintura al óleo se emplea para pequeñas decoraciones y en los procesos de envejecido para colorear el barniz.

• Barnices y aceites

Los barnices son líquidos compuestos por un vehículo que lleva disueltas diferentes sustancias resinosas o gomosas; se aplica en finas capas y una vez seco, protege la superficie de la madera. Se pueden encontrar en el mercado en diversas presentaciones: líquidos o en aerosol; de distintos aspectos: brillantes, mates o satinados; de diferentes colores; para proteger diversos materiales: pintura, madera, metal... El tapaporos es un barniz nitrocelulósico que tapa el poro de la madera proporcionando un acabado que se raya con facilidad. Es tóxico, por lo que requiere emplear guantes de neopreno y mascarilla antivapores.

El aceite de linaza es el líquido que se obtiene del prensado de las semillas de lino trituradas. Su secado es muy lento (entre 3 y 4 días) y se realiza desde la capa exterior hacia el interior, creándose primero una capa dura externa. Es un producto natural, no tóxico y que otorga a la madera un brillo profundo.

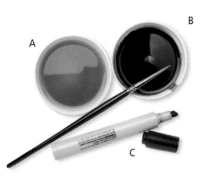

Reparador comercial (A) y tinte cetónico (B),
y rotulador (C) para retoques.

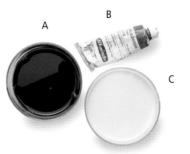

Esmalte (A),
pintura al óleo (B) y
pintura plástica (C).

Barniz para metales (A), barnices acrílicos (B),
barniz al agua (C), tapaporos (D)
y aceite de linaza(E).

Materiales auxiliares

• Material de tapicería

En ciertas ocasiones, los trabajos de renovación o restauración requerirán usar procesos específicos y particulares de otros oficios. Con toda seguridad, la tapicería será una de las técnicas a las que habrá que recurrir. Los materiales empleados para tapizar son variados; aquí reseñaremos los más usuales. Las agujas (curvadas, más largas y anchas que las de uso común) sirven para coser los muelles y las telas de relleno. El hilo de bramante se utiliza para coser, permitiendo unir de forma sólida las partes de la tapicería. Para fijar los muelles se emplea cordel. Las cinchas son tiras de tejido resistente que se fijan al bastidor y que configuran el armazón de la tapicería. Los muelles otorgan cuerpo y comodidad a los asientos. Para cubrir y sujetar las diversas capas de relleno se emplea tela de arpillera o de algodón. Los materiales de relleno más usuales son la guata, el esparto y la goma espuma. Esta última también se utiliza en ciertos procesos de pintura decorativa para confeccionar estampillas.

• Material de ferretería

El material de ferretería, dejando de lado los clavos, puntas y tornillos de uso común, se emplea en su mayoría en los trabajos de renovación. El añadido de piezas o mecanismos nuevos apenas se realiza en la restauración de un mueble u objeto. Los elementos de ferretería más utilizados son los tiradores, asas, ruedas, cantoneras, bisagras, cerraduras y bocallaves. Las ruedas, a causa de su uso frecuente, son uno de los elementos que a menudo hay que sustituir tanto en la restauración como en la renovación y transformación de muebles u objetos.

Agujas para tapizar.

Cinchas.

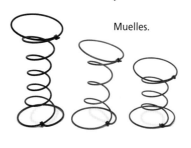

Hilos para tapizar y cordel.

Muelles.

Esponja.

Ruedas.

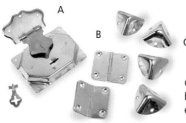

Cerradura (A), bisagras (B) y esquineras (C).

Muestras de tela de algodón y arpillera.

• Otros materiales

Las jeringuillas son muy útiles para aplicar desinfectante, inyectar cola blanca en las uniones de difícil acceso, impregnar maderas, etc. Se comercializan en diferentes capacidades y materiales, lo que las hace adecuadas para cualquier aplicación. Las esponjas sirven para limpiar, aplicar capas pictóricas y crear efectos sobre la pintura aún tierna.

Las cartas de colores son un catálogo ordenado con muestras de colores con su gama de tonos y matices de una marca comercial de pinturas. Servirá de guía para planificar y escoger la gama cromática con la que queremos pintar.

Diversos tipos de jeringuillas.

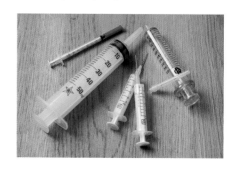

Cartas de colores.

Herramientas

Las herramientas que pueden emplearse durante los trabajos de renovación o restauración son tan variadas como los diferentes procesos que se realizan. Muchas de ellas se utilizan para otras técnicas decorativas y diversos oficios como la carpintería, la tapicería o la pintura decorativa. Otro tipo de herramientas, propias de la restauración, se utilizan también para la restauración de papel o pintura. Será imprescindible conocer las particularidades de cada herramienta para escoger aquella que se adecue a nuestras necesidades.

Herramientas de corte

• Tijera, cuchilla y bisturí
Estas herramientas se emplean para cortar, con mayor o menor precisión, diferentes formas y materiales: chapas, plantillas, estampillas...

• Sierra de calar y sierra de costilla
La sierra de costilla, que recibe su nombre del refuerzo que lleva en su lomo, se utiliza para cortes finos y de precisión. La sierra de calar consiste en un arco de metal donde se monta verticalmente una hoja muy fina; se utiliza sobre todo en marquetería.

• Cepillo
Consiste en un prisma de madera con una abertura transversal donde se coloca una cuchilla inclinada sujetada por una cuña. Se usa para pulir y desbastar la madera. El cepillo metálico permite mayor precisión que los de madera.

• Formón
Herramienta compuesta de un hierro acerado de filo horizontal y un mango usualmente de madera. Su anchura oscila entre los 4 y los 40 mm. Se usa para realizar oquedades y rebajar la madera.

• Caja de ingletes
Pieza rectangular formada por tres maderas dispuestas en forma de U. Los laterales llevan unas ranuras para guiar el paso de la sierra, lo cual permite cortar molduras o piezas pequeñas en ángulo recto o a 45°.

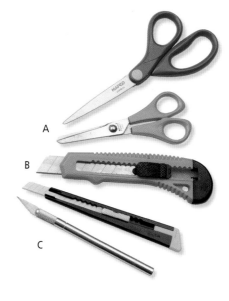

Tijeras (A), cuchillas (B) y bisturí (C).

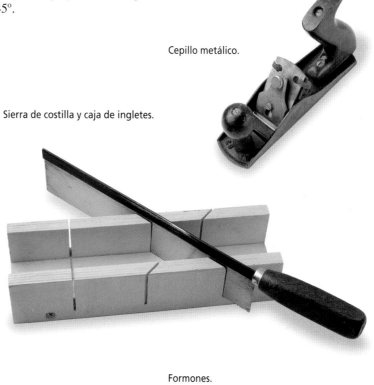

Cepillo metálico.

Sierra de costilla y caja de ingletes.

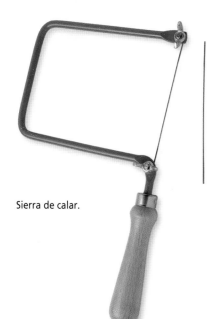

Sierra de calar.

Formones.

Herramientas para medir y trazar

• Instrumentos para medir

Es conveniente disponer de los instrumentos de medición adecuados: cinta métrica y regla para efectuar mediciones, escuadra y cartabón para comprobar ángulos rectos y un escalímetro para trasladar motivos a escala. El pie de rey, o calibrador, nos permitirá efectuar mediciones de gran precisión; consiste en una regla graduada y doblada a escuadra por un extremo en la que se desliza otra escuadra graduada.

• Útiles de dibujo

Los útiles de dibujo son necesarios tanto para confeccionar plantillas, crear dibujos que luego trasladaremos sobre el soporte y pintaremos como para trasladar motivos ya existentes.

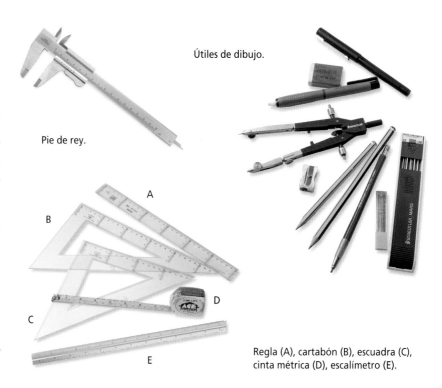

Útiles de dibujo.

Pie de rey.

Regla (A), cartabón (B), escuadra (C), cinta métrica (D), escalímetro (E).

Herramientas para golpear y extraer

• Martillos y maza

Los martillos se utilizan para clavar, golpear y para todos los trabajos que no pueden realizarse sólo con el esfuerzo de la mano. La maza se emplea, sobre todo, para golpear mangos de herramientas de corte, ensambles y armaduras. Para clavar piezas delicadas sin marcar la madera se utiliza el martillo de cabeza de nailon. El martillo de tapicero sirve para clavar y extraer las tachuelas que sujetan la tapicería.

• Botador

Cilindro cónico de acero con punta truncada. Se emplea para embutir clavos o puntas, disimulándolos.

• Tenaza y alicates

Las tenazas son herramientas fabricadas en hierro acerado compuestas por dos puntas unidas por un perno que sirven para arrancar y cortar clavos. Los alicates son similares a las tenazas, pero con las puntas cuadrangulares o cónicas y se usan para torcer y cortar alambre.

• Pata de cabra

Barra de hierro acerado con forma de palanca en un extremo y de uña partida en el otro; con ella se agarra la cabeza de los clavos para su extracción.

Martillo de tapicero.

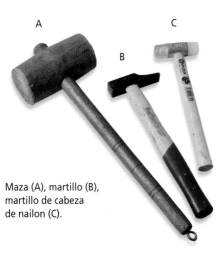

Maza (A), martillo (B), martillo de cabeza de nailon (C).

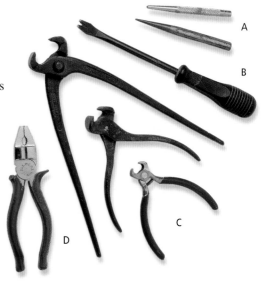

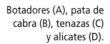

Botadores (A), pata de cabra (B), tenazas (C) y alicates (D).

Herramientas para agujerear, raspar y pulir

• Barrena
Sirve para realizar pequeños agujeros. Consta de una punta de hierro acerado helicoidal cónica con un mango de madera que gira a mano.

• Taladro manual
Taladro de dimensiones muy reducidas, casi de bolsillo. Provisto de un portabrocas en su extremo, funciona al desplazar el mango hacia abajo girando sobre sí mismo; con ello permite efectuar agujeros de dimensiones reducidas.

• Cuchilla y rasqueta
La rasqueta de pintor se emplea especialmente para quitar el barniz al decapar. Las cuchillas son una hoja de acero templado semiduro de calidad, por lo general rectangular, aunque las hay de diferentes formas para adaptarse a todo tipo de superficies. Sirven para pulir superficies y el corte se produce gracias a la rebaba de sus lados más largos.

• Escatador
Formado por un hierro acabado en punta y mango de madera. Se utiliza para rascar en los rincones donde no llegan los utensilios de mayor tamaño, pulir la madera o quitar barniz. El rascador sirve para rascar zonas mayores.

• Lima
Herramienta de acero templado con la cara estriada que arranca pequeñas astillas de la madera. Las escofinas son un tipo de lima provista de dientes triangulares y gruesos.

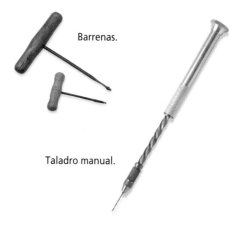

Barrenas.

Taladro manual.

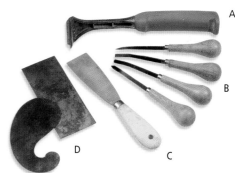

Rascador (A), escatadores (B), rasqueta (C) y cuchillas (D).

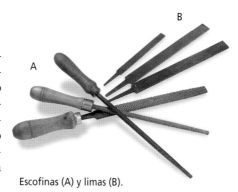

Escofinas (A) y limas (B).

Herramientas para apretar

• Destornillador
Formado por una varilla de acero duro acabada en su punta con la forma del tornillo al que está destinado y un mango de madera o plástico. Se usa para meter y sacar tornillos.

• Gato
Instrumento de hierro o plástico formado por dos topes, uno corredero y graduable y otro fijo. Se utiliza para sujetar y presionar piezas.

• Tornillo de banco
Su función es sujetar piezas sobre la superficie de trabajo. Se fija sobre ésta mediante un gato situado en su parte inferior.

• Pinzas de tensar lienzos
Pinzas de hierro acerado provistas de puntas rectangulares con las superficies dentadas que al cerrar encajan perfectamente entre ellas. Sirven para agarrar y tensar lienzos, cinchas y telas.

Pinza de tensar lienzos.

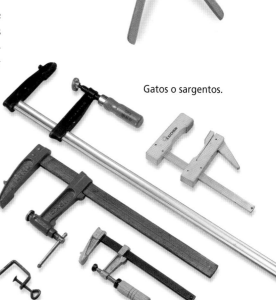

Gatos o sargentos.

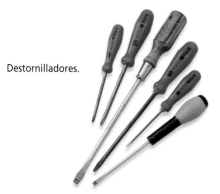

Destornilladores.

Tornillo de banco.

Herramientas auxiliares

• Instrumentos para mezclar

Para mezclar y dispensar productos es conveniente disponer de diversos tipos de instrumentos: cucharas y espátulas de madera para realizar mezclas donde intervenga algún tipo de disolvente que pueda atacar el metal, palillos para remover la cola caliente y espátulas metálicas para aplicar masillas o dispensar pequeñas cantidades de material.

• Baño María

El baño María consiste en calentar lenta y uniformemente una materia sumergiendo de forma parcial el recipiente que la contiene en otro con agua. Se requiere un hornillo o placa calefactora eléctrica (nunca de gas a causa de su peligrosidad), un recipiente ancho y bajo donde emplazar el agua y una cazuela de barro o un recipiente de boca ancha donde diluiremos, calentando, los diferentes materiales.

• Medidores

Para realizar preparaciones (tintes, desinfectantes, etc.) es indispensable medir y pesar los diferentes materiales. Los medidores volumétricos graduados sirven para medir el volumen de los líquidos, siendo los más precisos los de cristal graduado para laboratorio. Para pesar sólidos se utilizará una balanza mecánica o digital que pueda incorporar tara.

• Recipientes

Se emplean para realizar mezclas, guardar restos de pinturas y limpiar pinceles y paletinas. Es conveniente disponer de un surtido de diferentes tipos de botes con tapa y recipientes de diversas formas y materiales. Tendremos precaución de verter cualquier disolvente en un bote de plástico, ya que puede deshacerse o liberar sustancias tóxicas, o ambas cosas.

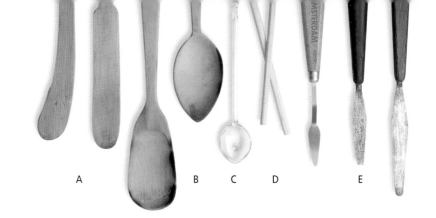

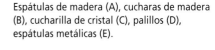

A   B   C   D   E

Espátulas de madera (A), cucharas de madera (B), cucharilla de cristal (C), palillos (D), espátulas metálicas (E).

Baño María: hornillo y recipientes.

• Cepillos

Se emplean para abrillantar y limpiar. Los cepillos para zapatos de cerdas suaves son muy útiles para abrillantar superficies redondeadas o con entrantes y salientes. Los cepillos de dientes son los más indicados para limpiar, frotando, materiales delicados como el mimbre. Los cepillos metálicos que se comercializan para la limpieza de piel de ante son imprescindibles para limpiar elementos y piezas de metal. Para limpiar ciertas partes de los muebles o frotar superficies durante el decapado se emplean cepillos de púas vegetales.

Botella graduada (A), probeta graduada (B), vaso de precipitados graduado (C) y báscula (D).

Diversos tipos de recipientes.

Cepillos: de púas vegetales (A), de dientes (B), metálico para piel de ante (C), y para zapatos (D).

Herramientas portátiles

• Taladro
Se emplea para realizar agujeros. Permite trabajar a gran velocidad, intercambiando diferentes gruesos y tipos de brocas (madera, pared y metal).

• Pistola de aire caliente
Se utiliza para decapar capas gruesas de pintura y es muy indicada para trabajos en vertical. Emite aire caliente y, en algunos modelos, es posible regular el flujo y la temperatura.

• Lijadora
Se emplea para lijar superficies muy grandes o que se hallan en muy mal estado. Permite utilizar diferentes clases de papeles abrasivos.

• Micromotor
Herramienta de pequeñas dimensiones dotada de un portabrocas en su extremo al que se le pueden acoplar infinidad de fresas, discos y brocas, entre otros. Gracias a su potente motor, las brocas giran con gran rapidez, permitiendo realizar un trabajo eficaz en poco tiempo.

• Mechero manual y espátula eléctrica
El mechero manual consta de un depósito para gas y un mechero en su extremo. Se emplea para fundir ceras o lacas.
La espátula eléctrica lleva una resistencia en su interior y en ciertos modelos es posible intercambiar las puntas. Es útil para aplicar cera o laca caliente y reparar golpes.

Taladro.

Pistola de aire caliente.

Lijadora.

Espátula eléctrica.

Mechero manual a gas.

Micromotor.

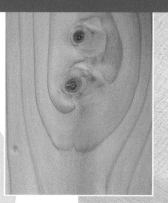

La madera

La
madera ha sido tradicionalmente
la materia prima con que se ha confeccionado el mobiliario. Si bien en la actualidad se emplean
infinidad de materiales para tal fin, sigue siendo la materia
de más calidad y la de mayor demanda. Cualquier proceso, tanto de renovación como de restauración de mobiliario, requerirá la
intervención sobre la materia constituyente del mueble: la madera.
Por este motivo, será imprescindible que conozcamos en profundidad
su estructura y sus propiedades y seamos capaces de identificar la
mayoría de especies madereras. También será importante y de gran
utilidad saber qué formatos es posible adquirir en el comercio y
cuáles se pueden encargar a medida. La madera es un material
orgánico, y como tal puede presentar diversos problemas
específicos; para identificarlos y prevenirlos a
tiempo, es necesario conocerlos y saber
cómo solucionarlos.

Cómo reconocer
la madera y conservarla

La madera es la materia prima tradicionalmente usada para la construcción de mobiliario, objetos de decoración y elementos estructurales para interiores. Desde hace algunas décadas, se han empezado a emplear otros materiales que permiten confeccionar piezas de mobiliario o de decoración baratas, de estructuras fuertes y ligeras, resistentes al envejecimiento y fáciles de limpiar. Sin embargo, la madera continúa siendo un material muy apreciado por su valor estético.

¿Qué es la madera?

La madera es el complejo de tejidos que sirve como soporte y permite la circulación de agua y nutrientes a las plantas superiores (árboles y arbustos). Está compuesta por diferentes cantidades de materiales (dependiendo de las especies), como celulosa, lignina, resina, almidón, taninos y azúcares. Es, por tanto, una materia viva que, al igual que los árboles o arbustos de los que forma parte, sufre una serie de cambios y transformaciones que provocan su crecimiento, desarrollo y muerte.

La madera cortada es secada y convenientemente tratada para su posterior empleo en la fabricación de mobiliario u objetos varios. Sin embargo, su característica principal, la de materia orgánica que una vez estuvo viva, condiciona su uso, restauración y conservación. Los diferentes materiales que la forman y su estructura interna pueden sufrir diversos cambios, dependiendo de los factores ambientales que la rodean, los cuales modificarán, en parte, alguna de sus propiedades: color, textura, dureza, flexibilidad, resistencia, etc. o incluso transformarán por completo su aspecto. Los diferentes tipos de madera reaccionan de modo distinto frente a los factores adversos de su entorno; dependerá de la naturaleza de la madera y del proceso empleado para trabajarla, así como de las sustancias utilizadas para modificarla o recubrirla.

Reconocer los distintos tipos de madera

El primer aspecto que conviene tener en cuenta cuando nos enfrentamos a la restauración o renovación de una pieza de mobiliario es el tipo de madera que se empleó para su fabricación. En los procesos de restauración la identificación de la madera constitutiva del mueble nos permitirá saber cuál es su comportamiento frente a agentes externos y, por tanto, con qué problemas podemos encontrarnos. De este modo, podremos establecer qué método de restauración, procesos, acabado y sistema de conservación del objeto son los más adecuados. En los trabajos de renovación, y por los mismos motivos que para la restauración, también es fundamental conocer la madera base con que se fabricó el mueble. Ello nos permitirá valorar con criterio si las renovaciones o soluciones decorativas proyectadas son realmente viables.

Existen infinidad de especies de árboles y arbustos aptos para la fabricación de muebles; su uso varía en función de los países y las zonas. Reseñamos aquí las más usuales, estableciendo un repertorio básico que servirá de guía para identificar las maderas. En ciertas ocasiones, sin embargo, sobre todo al principio, pueden surgir problemas o dudas; es algo previsible, que sólo tras muchos años de oficio y experiencia es posible superar. No dude en acudir a un carpintero profesional, que con toda seguridad identificará correctamente la madera y le aconsejará sobre ella.

• **Abedul**. *Betula pendula.*
Betula alba. Betula verrucosa
Madera blanda de color blanco, entre amarillento y rojizo, de vetas cortas y compactas. Proporciona hojas de buena calidad para el chapeado.

• **Abeto**. *Abies alba*
Madera resinosa y blanda de color blanco, de fibras largas y rectas. Gran diferencia entre la madera de primavera y la de otoño. Posee anillos anuales gruesos y nudos oscuros.

• **Álamo. Chopo**. *Populus alba*
Madera blanda de color amarillo blanquecino y a veces gris, muy fácil de trabajar. Poco resistente a los insectos y la humedad, por lo que es propensa al agrietamiento. Se emplea para confeccionar armazones de muebles.

• **Arce. Erable. Maple.**
Acer campestre
Madera dura de color blanco, fina y compacta. Poco resistente a los insectos y a las condiciones climáticas de exterior. Se usa en ebanistería.

• **Erable ojo de perdiz.**
Acer campestre
Debe su nombre a los característicos nudos lenticulares que presenta. Esta madera se consigue de la raíz del arce o erable. Se extrae en forma de hojas muy adecuadas para el chapeado.

• **Balsa**. *Ochoroma lagopus*
Madera blanda, ligera y poco densa de color beige rosáceo lustroso a pajizo pálido, de grano recto y regular. Se emplea para efectuar refuerzos, maquetación y aislamientos.

Abedul.

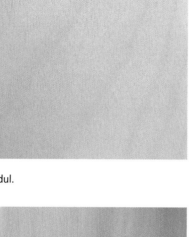

Abeto.

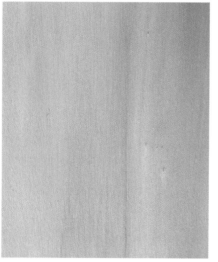

Álamo. Chopo.

Arce. Erable. Maple.

Erable ojo de perdiz.

Balsa.

• Boj. *Buxus sempervirens*
Madera dura, densa y homogénea de color amarillento muy vivo. Se emplea para confeccionar útiles y mangos de herramientas. También se consiguen regruesos y filetes de gran calidad y de bellos efectos ornamentales para incrustación y marquetería.

• Caoba. *Swietenia*
Madera dura de color pardo rojizo característico, de fibra curvada y homogénea, dura y compacta. Es muy resistente a los insectos. Se emplea maciza en ebanistería fina y en chapa en trabajos de marquetería, incrustación y chapeado. Actualmente, como resultado de las talas intensivas de los bosques tropicales, estas especies están amenazadas de extinción.

• Palma de caoba. *Swietenia*
Se presenta en forma de chapa y procede de la horquilla del árbol donde se produce la división del tronco. Si el corte de la chapa es perpendicular al tronco aparece el característico veteado lustroso que asemeja una pluma.

• Castaño. *Castanea sativa*
Madera dura, fuerte y elástica de color ocre rojizo, de gruesas fibras. Es poco resistente a los insectos. Se conserva en buen estado en el agua, pero tiende a volverse quebradiza al contacto con el aire.

• Cedro. *Cedrus atlantica*
Madera aromática, de color canela rosado, homogénea. Posee anillos de crecimiento irregulares y algunas veces con nudos. Fácil de tallar y trabajar.

• Cerezo. *Prunus avium*
Madera bastante dura, de color castaño claro característico y veta recta. Se emplea en ebanistería en la construcción de muebles de calidad y en hojas en marquetería y chapeado. Es fácil de teñir y pulir.

Boj.

Caoba.

Palma de caoba.

Castaño.

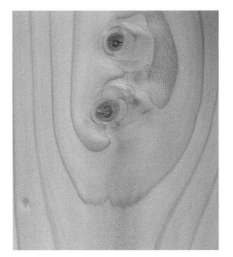

Cedro.

Cerezo.

Ciprés.

Ébano.

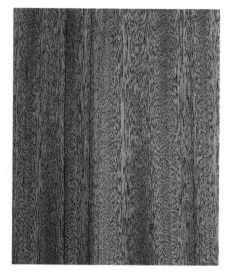

Embero.

Eucalipto.

Eucalipto chileno.

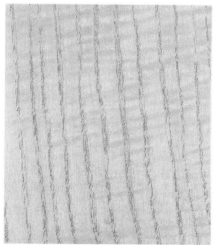

Fresno.

• **Ciprés.** *Cupressus sempervirens*
Madera dura, resinosa y aromática, de vetas rojizas y color pálido. Su alto contenido en resina la hace muy resistente e incorruptible.

• **Ébano.** *Diospyros*
Madera muy dura, de fibra muy fina, pesada y de color negro intenso. Inatacable por los insectos. De difícil trabajo, se emplea para realizar motivos torneados y en incrustación. Especie en peligro de extinción como resultado de la sobreexplotación de los bosques.

• **Embero.** *Lovoa klaineana*
Madera algo dura y no muy densa, de color grisáceo rojizo a pardo siena con irisaciones y de textura fina. Muy duradera y resistente a la podredumbre. Labrado y acabado algo difícil. Se emplea en la realización de paneles y como chapa en ebanistería.

• **Eucalipto.** *Eucaliptus*
Madera muy dura y fuerte, de color pardo pálido a gris, de fibras entrecruzadas. De textura fina, es una madera densa pero muy ligera. Estable y duradera. Se utiliza para fabricar estructuras resistentes.

• **Eucalipto chileno.** *Eucaliptus*
Madera con características similares al eucalipto (muy dura, densa, ligera, fuerte, de textura fina, estable y duradera), pero de un color pardo rojizo más acusado.

• **Fresno.** *Fraxinus excelsior*
Madera bastante dura y densa, de color amarillento y vetas muy vistosas. Es muy flexible, difícil de trabajar y admite mal el teñido. Muy empleada para trabajos de tornería.

• **Raíz de fresno.** *Fraxinus excelsior*
Presenta los característicos nudos de la
madera extraída de la raíz del árbol. Se
extrae en forma de hojas que se utilizan
para trabajos de marquetería y chapeado.

• **Haya.** *Fagus sylvatica*
Madera pesada y elástica de color amarillento, homogénea y con pocos nudos.
Muy sensible a los ataques de insectos y
resistente al calor. Se emplea en grandes
cantidades para la fabricación de mobiliario, en especial, para aquéllos con acabados curvos.

• **Limoncillo.** *Fagara heitzii*
Madera dura sin nudos de color muy claro parecido al limón, de donde recibe su
nombre. Se emplea exclusivamente para
confeccionar interiores de muebles y en
chapa para decoración.

• **Nogal.** *Juglans regia*
Madera dura compacta, densa y fina, de
color pardo tostado y grano recto u on-
dulado. Presenta características aguas
oscuras ondulantes. Sensible al ataque
de los insectos. Se talla y pule bien. Se
emplea para trabajos de talla, ebanistería, chapeado y marquetería.

• **Nogal americano.** *Juglans nigra*
Madera dura de color marrón oscuro y
negro rojizo, más oscura que el nogal
europeo. De textura basta y grano recto.
Se emplea en ebanistería, talla y chapeado.

• **Olivo.** *Olea europea*
Madera dura y compacta, amarillenta, de
vetas oscuras. Idónea para tornear y pulir. Desprende un olor característico. Se
emplea en trabajos de torno.

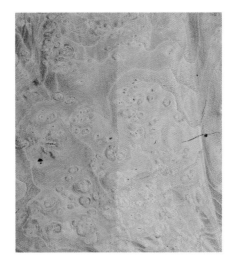

Raíz de fresno.

Haya.

Limoncillo.

Nogal.

Nogal americano.

Olivo.

Olmo.

Palisandro.

Peral.

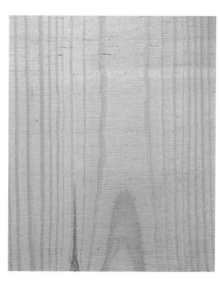

Pino melis.

Pino gallego.

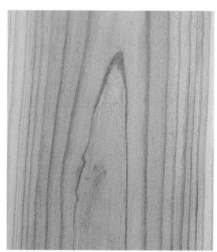

Pino flandes.

• **Olmo.** *Ulmus*
Madera bastante dura de color rojo oscuro, de fibra gruesa. Resistente al roce, la humedad y los insectos. Pulido difícil.

• **Palisandro.** *Machaeriun. Dalbergia*
Nombre con el que se designa gran cantidad de especies diferentes de árboles tropicales de los géneros *Machaeriun* y *Dalbergia,* cuyos colores van del rojo oscuro al castaño violáceo o casi negro con pequeñas vetas marcadas, algunas, o grandes vetas, otras. Compactas, de fibras duras y uniformes. Se emplean para trabajos de ebanistería de alta calidad. También reciben el nombre de Palo Santo y Jacarandá. Las diferentes especies de palisandro están amenazadas de extinción.

• **Peral.** *Pirus comunis*
Madera algo dura de color castaño rojizo, fina y densa. Posee anillos uniformes y poco visibles. No sufre el ataque de los insectos. Fácil de trabajar y pulir.

• **Pino melis.** *Pinus palustris*
Madera muy resinosa y blanda de color amarillo-rojizo que presenta unas características vetas rojizas rectas y seguidas. En la actualidad, se usa en ebanistería, pero antiguamente se empleaba para fabricar puertas, ventanas y vigas.

• **Pino gallego.** *Pinus pinaster*
Madera resinosa, blanda, ligera y poco densa, de color blanco amarillento o rosado. Es elástica y estable y permite un trabajo fácil. Se usa en la confección de mobiliario y para recubrir superficies en forma de chapa.

• **Pino flandes.** *Picea abies*
Madera blanda y resinosa de color amarillo-blancuzco, de vetas más oscuras de tono siena-ocre y de fibra recta y seguida. Se emplea en carpintería y para fabricar armazones de muebles.

• **Pino oregón.** *Pseudotsuga douglas*
Madera blanda y resinosa, de color más oscuro (pardo) que otras especies de pino, y de veteado seguido. Se emplea principalmente en carpintería artística y para confeccionar molduras.

• **Plátano.** *Platanus orientalis.*
Platanus ecerifolia
Madera algo dura, flexible y pesada, de color amarillento oscuro con irisaciones pronunciadas. Es susceptible al ataque de los insectos. Se parece a la madera de haya y se emplea en los trabajos de torno, en forma de chapa para recubrimiento y, en general, para la fabricación de mobiliario.

• **Roble.** *Quercus robur*
Madera muy dura y compacta de gran calidad, de color amarillo terroso y fibra recta. Según el tipo de corte, puede presentar amplios rayos muy característicos. Resiste bien la humedad. Se usa en carpintería de exterior y para fabricar mobiliario y tarimas.

• **Raíz de roble.** *Quercus robur*
Madera de color terroso que presenta características agrupaciones de nudos. Se extrae en forma de chapas de la raíz del árbol y se emplea para chapeados.

• **Sapelli.** *Entandrophragma*
cylindricum
Madera algo blanda, semidensa, olorosa, de textura lisa y color rosa-pardo muy acentuado con irisaciones. Es fácil de trabajar y barnizar. Se emplea para la construcción de mobiliario y trabajos de chapeado.

• **Teca.** *Tectona grandis*
Madera muy dura, densa, estable y de poro fino, de color rojo oscuro. Posee gran resistencia al rozamiento. Se emplea en ebanistería de exterior e interior, en tornería y chapeado. Es una especie amenazada de extinción.

Pino oregón.

Plátano.

Roble.

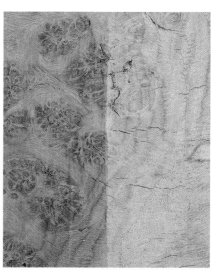
Raíz de roble.

Sapelli.

Teca.

Tableros (A)
y regrueso (B).

Presentación de la madera

Cuando abordamos la restauración o la renovación de una pieza de mobiliario, tanto si deseamos realizar algunos arreglos como añadir o sustituir alguna de sus partes, resulta muy práctico emplear formatos y piezas ya comercializados; por ello es importante conocer e identificar las diferentes presentaciones de la madera. En el mercado se encuentran gran cantidad de presentaciones, que según su naturaleza se pueden agrupar en: madera cortada en diferentes formatos sin ningún tipo de manipulación (tableros, chapas y regruesos), piezas manufacturadas (mechas, listones, molduras, apliques, etc.) y tableros manufacturados (alistonados, aglomerados, contrachapados y de densidad media). También es posible adquirir piezas realizadas con diferentes maderas (dependiendo del modelo y la especie), confeccionadas con dos materiales distintos (molduras de DM chapeadas de madera o piezas comerciales de marquetería) o convenientemente tratadas según el uso a que se destinen (chapas teñidas o decoloradas o tableros con un tratamiento para exterior).

Es recomendable guardar las partes y los trozos sobrantes de los formatos y piezas ya empleados, ya que podrán volver a ser utilizados en otros procesos. Así como los fragmentos de maderas, molduras, patas, etc. de muebles viejos, para futuras restauraciones o renovaciones.

Tableros

Denominación genérica que reciben las planchas de madera aserradas directamente del árbol. Son piezas largas y rectas de sección rectangular cuyas medidas oscilan entre 2,5 y 6,5 m de largo, 5 y 10 cm de grueso y 15 y 25 cm de ancho. Es posible adquirir en el mercado piezas de formatos diferentes y cortadas según demanda.

Chapas y regruesos

• Chapas

Hojas de madera muy delgadas de espesor entre 0,2 y 5 mm que se emplean para trabajos de chapeado y marquetería.

Los diferentes aspectos y veteados de las chapas dependerán de la parte del árbol de donde se extrae la madera y del sistema de corte. Las chapas pueden ser: lisas (de vetas regulares), onduladas (de vetas de tonos variados que parecen ondas), de aguas (con ondas sinuosas que producen efecto muaré), mosqueadas (con pequeños nudos muy próximos entre sí), nudosas (presentan nudos rodeados por gran cantidad de radios), sarmentosas (presentan dibujos caprichosos y coloración acentuada) y de oruga (de vetas sinuosas y con cordoncillos de vivo color).

• Regruesos

Piezas de madera con un espesor entre 4 y 10 mm, de tamaño variable, que se emplean para trabajos de incrustación. Los de grueso medio, de unos 5 mm, son los más utilizados.

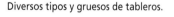

Diversos tipos y gruesos de tableros.

Chapas de diferentes especies de maderas.

Piezas manufacturadas

• Mechas

Piezas de sección circular y grosor variable que se emplean para reforzar uniones entre dos piezas de madera. Las más indicadas presentan estrías, ya que ofrecen mayor superficie donde aplicar la cola y, por tanto, se adhieren mejor que las lisas.

• Listones

Son piezas de sección rectangular de 1 a 2 cm por 2 a 4 cm de ancho y de largo variable. También los hay con uno de sus perfiles al cuarto o de media caña. Se emplean, entre otros usos, para fijar vidrios o paneles en puertas.

• Patas

Son las piezas sobre las que se sostienen y apoyan los muebles en el suelo. En el mercado es posible adquirir gran variedad de patas sueltas fabricadas con diferentes maderas y en diversos estilos.

• Molduras

Elementos decorativos en relieve y de perfil uniforme que se emplean para embellecer los muebles. Se comercializan gran diversidad de molduras, la mayoría fabricadas de modo industrial, pero también es posible encontrar otras hechas a mano. Habitualmente, es necesario adquirir piezas enteras (de 1 a 2 m, en función del fabricante), aunque ciertos comercios las venden cortadas según demanda.

• Balaustres

Constituyen un tipo de columnillas usualmente torneadas, decoradas con molduras u otros motivos, que se emplean para formar barandillas, las de mayor tamaño, o como elementos decorativos en los muebles, las pequeñas.

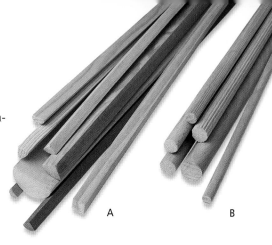

Listones (A) y mechas (B).

• Apliques

Piezas de madera talladas, de muy diversos tamaños, que representan motivos decorativos. Se emplean para la decoración de mobiliario aplicadas sobre la superficie de la madera.

• Tiradores y remates

Los tiradores son las asas que se fijan en las superficies de los cajones o puertas de un mueble y que permite abrirlos y cerrarlos. En el comercio se pueden adquirir diferentes tipos de tiradores de madera, bien sea en crudo (sin ningún tipo de acabado) o teñidos, barnizados, etc.

Los remates son piezas torneadas o talladas que se colocan en la parte final o superior de un mueble con fines puramente estéticos.

Diversos tipos de apliques tallados.

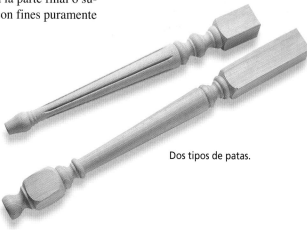

Dos tipos de patas.

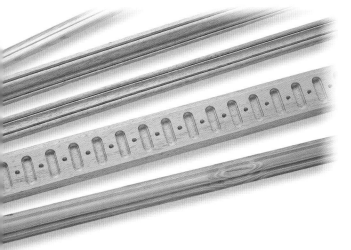

Diversos modelos de molduras.

Diferentes modelos de tiradores.

Diferentes tipos de remates.

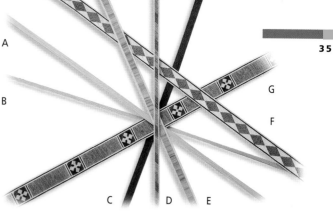

Piezas de marquetería comercial

• Filetes

Son pequeñas piezas de sección rectangular que se emplean, sobre todo, para trabajos de incrustación. Existen filetes de madera maciza, realizados en boj o con otras maderas teñidas a imitación del ébano. También los hay de marquetería, usualmente más anchos que los macizos, fabricados con diferentes clases de maderas en su color natural o teñidas, o ambas cosas, efectuando composiciones geométricas...

• Piezas de marquetería

En el mercado es posible adquirir piezas de marquetería manufacturadas listas para aplicar. Al igual que los filetes, pueden fabricarse en madera maciza (las más sencillas y asequibles) o con diversos tipos de madera (las más elaboradas y costosas).

Filetes: de madera maciza (A, B, C), de marquetería (D, E, F, G).

Piezas decorativas de marquetería.

Tableros manufacturados

• Madera alistonada

Tablero formado por diversos listones o piezas de madera maciza unidos a tope y encolados entre sí.

• Contrachapado

Tablero formado por placas de madera encoladas unas sobre las otras cuyas fibras se disponen en diferentes sentidos. Se encolan unas a otras, en número impar, disponiendo el sentido de la fibra o el grano de láminas alternas en ángulo recto. Con ello se consigue un tablero estable y resistente al alabeo. Los tableros se clasifican en tres categorías, de acuerdo con la calidad de las caras vistas. La categoría A son los tableros cuyas caras presentan un aspecto homogéneo sin imperfecciones. La categoría B son aquellos que pueden presentar algunas imperfecciones, como pequeños nudos o manchas. Finalmente, la categoría C la constituyen aquellos que en sus caras visibles presentan grandes nudos e incluso grietas. Las medidas de los tableros oscilan entre 3 y 30 mm de grosor, 2,44 y 3,66 m de largo y 1,22 y 1,52 m de ancho.

• Aglomerado

Es el resultado del encolado a presión a altas temperaturas de virutas y astillas de madera con resinas sintéticas. Se fabrican diferentes tipos de tableros aglomerados, dependiendo de la forma y el tamaño de las partículas de madera, de su distribución y del tipo de resinas empleadas como adhesivo. Este tipo de tableros son más estables que los contrachapados y no presentan los defectos de la madera maciza. Sus dimensiones pueden alcanzar los 2 m de ancho por 8 m de largo, suponiendo una ventaja en trabajos de grandes dimensiones.

• Tablero de fibras

Material formado por maderas que han sido reducidas a fibras unidas mediante resinas sintéticas en un prensado de alta frecuencia, y que ha dado como resultado una madera reconstituida. Se fabrican tableros de diferente densidad, dependiendo de la presión y las resinas empleadas: de alta densidad (DA), baja densidad (DB) y densidad media (DM). Los tableros de densidad media o DM se fabrican uniendo fibras de madera en seco con resinas sintéticas, lo cual da como resultado una estructura uniforme de textura fina, donde las caras y los bordes presentan un acabado perfecto. Se usa y trabaja como sustitutivo de la madera. Los tableros de DM se fabrican en grosores que oscilan entre 6 y 32 mm, siendo los más empleados de 1,2 m de ancho por 2,4 m de alto.

Aglomerado (A), madera maciza alistonada (B), tablero de fibras de densidad media (DM) (C), contrachapados (D).

Principales problemas de la madera y su detección

La madera es una materia orgánica, que por su propia naturaleza está expuesta a posibles cambios si varían las condiciones ambientales de su entorno. Los factores que pueden alterarla son la humedad y la temperatura y la exposición excesiva a la luz. Estos tres factores, ya muy dañinos de por sí, pueden favorecer la aparición y proliferación de otros problemas: los insectos y los hongos.

Insectos

Son los organismos responsables de los mayores y más extensos efectos de alteración de la madera, pudiendo llegar a destruirla totalmente. Los insectos xilófagos (*xilos* = madera; *fago* = consumidor de) encuentran el alimento, el medio para vivir, desarrollarse y reproducirse en la madera. Su ciclo vital se compone de cuatro fases: huevo, larva, pupa y adulto, estadio al que llegan después de sufrir varias mutaciones. Los insectos no pueden regular su temperatura corporal; por esta razón, su crecimiento, maduración y reproducción se activan con temperatura adecuada (entorno a los 25 °C), y se ralentizan a medida que ésta disminuye (entre los 15 y los 25 °C).
Para calibrar el grave problema que pueden representar los insectos, hay que entender el mecanismo mediante el cual realizan su ataque, más aún si tenemos en cuenta que el agujero que indica su presencia es la señal producida por un adulto dispuesto a colonizar otros objetos o elementos de madera. La hembra deposita los huevos en cualquier hendidura, grieta o agujero de la madera; semanas después, emerge la larva, que, inmediatamente, penetra en la madera, donde vivirá hasta la fase de adulto excavando numerosos túneles.

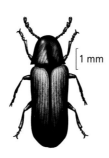
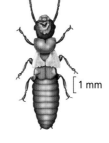

Ejemplar de carcoma adulta.

Termita.

Existen diferentes especies de insectos que pueden atacar la madera; varían según el clima y país. Las más extendidas son la carcoma y las termitas. La carcoma encuentra las condiciones idóneas para su desarrollo en los países de clima templado. Deja un rastro característico, similar al serrín o polvo de madera, cerca del agujero de salida practicado por el adulto. Las termitas son insectos sociales que viven en colonias. Se desarrollan tanto en madera seca como en madera húmeda y existen, incluso, especies subterráneas.
Es importante reseñar que los insectos no atacan las maderas manufacturadas (contrachapado, aglomerado y de fibras), ya que los adhesivos o resinas empleados en su fabricación o recubrimiento son nocivos para ellos.

Ejemplo del ataque de las termitas. El interior de la madera está completamente destruido, mientras el exterior presenta un aspecto casi perfecto.

Hongos

Los hongos atacarán en mayor medida una pieza de madera cuanto mayor sea su grado de humedad. Se pueden desarrollar en la superficie o en aberturas y grietas, sobre maderas en condiciones de conservación muy desfavorables, humedad muy alta, poca ventilación, en contacto con la tierra, etc. Algunos tipos de hongos pueden causar manchas superficiales más o menos extensas sobre la madera, mientras que otros destruyen grandes zonas de la superficie de los objetos.

Ejemplo del ataque de hongos sobre la superficie de un objeto realizado con mimbre.

Efectos de la luz y de los cambios de humedad y temperatura

Los efectos nocivos de la exposición a fuentes de luz intensa son directamente proporcionales al tiempo de exposición, y además son acumulativos. La fuente de luz más nociva es la solar.
Los cambios bruscos de humedad y temperatura (dos aspectos que siempre van unidos) pueden provocar movimientos. Los efectos de estos cambios serán más rápidos cuanto menor sea el grueso de la pieza de madera: las chapas y regruesos experimentarán movimiento, se curvarán y, finalmente, se romperán con rapidez, mientras que un tablero puede tardar varias horas en alabearse. Estos tres factores combinados entre sí pueden provocar importantes deterioros en la madera y favorecer los ataques de hongos e insectos.

Soluciones y tratamientos

Hemos podido comprobar que existen muchos factores que deterioran la madera y que los problemas que pueden provocar son muy variados. Sin duda, la mejor solución es la prevención. La conservación de los muebles, objetos y elementos estructurales de madera se tendrá que basar, necesariamente, en la prevención, localización y rápida solución de los problemas. El cuadro anexo sintetiza las medidas que debemos adoptar. No sirve de nada restaurar o efectuar una intervención sobre la madera si luego la volvemos a exponer a factores de riesgo. Para eliminar el problema de los insectos, sin duda el más grave, habrá que desinfectar en profundidad la madera.

Desinfección

La desinfección tiene por objetivo la eliminación total de los insectos xilófagos en todas las fases de su ciclo vital. Existen diversos métodos, algunos de los cuales sólo pueden realizarse en laboratorios o por parte de empresas especializadas.

El método más sencillo se basa en aplicar sustancias tóxicas (venenos) líquidas o gaseosas. Conviene saber que se trata de tóxicos que pueden afectar, en mayor o menor medida, dependiendo de su composición y concentración, al medio ambiente y a las personas que habitan en la casa. Es imprescindible usar elementos de protección: guantes de látex y mascarilla antivapores. Su aplicación se realizará en el exterior o en espacios bien ventilados y las cantidades sobrantes nunca se dispersarán en el medio ambiente. Los insecticidas líquidos son

sustancias activas contra los xilófagos que, disueltas en disolventes, favorecen su penetrabilidad. Su éxito depende de si llegan de una manera eficaz a todas las zonas que han sufrido el ataque. Su efecto es curativo (matando los insectos) y preventivo (si se ha impregnado toda la madera, puede actuar durante bastante tiempo e impedir nuevos ataques). El paradiclorobenceno es una sustancia activa que forma parte de la composición de las pastillas antipolilla; se presenta en estado sólido, aunque su acción la realizan los vapores que emana. Si se emplea puro en altas concentraciones, puede resultar tóxico para las personas. Su eficacia finaliza una vez acabada su aplicación; su efecto, por lo tanto, es sólo curativo.

El mejor sistema consiste en combinar los efectos curativos y preventivos; es decir, usar un desinfectante líquido junto con uno gaseoso.

1- El primer paso antes de desinfectar cualquier objeto consiste en limpiar todas sus superficies para asegurarnos de que el líquido desinfectante no adhiera y fije la suciedad sobre la madera. Eliminamos cualquier resto de polvo sobre la madera frotando con un trapo. Insistimos especialmente en aquellas zonas que presentan recovecos y hendiduras (uniones de travesaños con el tablero, ensambles, junturas de tablones, etc.) o que sean de difícil acceso (partes interiores e inferiores del mueble, cajones, etc.), extrayendo el polvo con ayuda de un pincel o paletina.

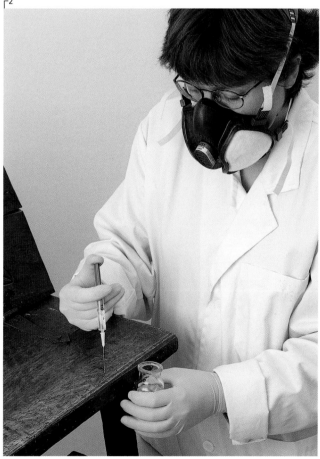

2- Antes de efectuar cualquier manipulación del desinfectante líquido, nos protegemos con guantes de látex y mascarilla antivapores. En primer lugar, aplicamos, con ayuda de una jeringa, el líquido en cada orificio de la madera. De esta forma, nos aseguramos de que el desinfectante penetra hasta el interior de la madera, siguiendo las galerías dejadas por los insectos al salir al exterior.

3- Finalizada esta operación, damos varias manos de desinfectante con ayuda de una paletina. Nos aseguramos de cubrir perfectamente todas las superficies del objeto.

4- Seguidamente, procedemos a confeccionar la bolsa de desinfección. Cortamos un fragmento de plástico de polietileno grueso de un tamaño acorde con el objeto que deseamos envolver. Situamos éste centrado sobre el fragmento de plástico y unimos sus lados con cinta de precinto ancha, procurando que no queden orificios. Dejamos un lado sin cerrar. Fijamos el plástico de tal manera que la bolsa tenga el menor volumen posible.

5- Introducimos varias pastillas de antipolilla comercial en la bolsa. El número de éstas dependerá del volumen de la bolsa: cuanto mayor sea el volumen, más pastillas se necesitarán. Para muebles u objetos de tamaño pequeño y mediano es recomendable usar tres unidades. Si las pastillas antipolilla se adquieren protegidas en envases individuales es preciso realizar pequeños orificios pinchando repetidamente la superficie del envase con una aguja.

6- La eficacia de la desinfección se basa en la creación de una atmósfera altamente tóxica, lo cual asegura la muerte de todos los insectos. Para conseguir la atmósfera deseada es recomendable dejar el mínimo de aire en el interior de la bolsa. Un sistema muy práctico consiste en extraer el aire mediante un aspirador doméstico graduado a la mínima potencia. Luego cerramos rápidamente la obertura con cinta de precinto.

7- Finalmente, anotamos la fecha de confección de la bolsa en un papel o cartulina, y la fijamos sobre la superficie del plástico. Dejamos la bolsa de desinfección durante 15 días, el período que se considera adecuado para conseguir la muerte de todos los insectos.

CONSEJOS PARA LA CONSERVACIÓN DE LA MADERA		
Factores y problemas	**Consecuencias**	**Prevención**
• Humedad y temperatura (en exceso o cambios bruscos)	• Alabeo, agrietamiento y rotura de la madera. Serán más rápidos cuanto menor sea el grosor de la pieza de madera. • Posibles reacciones químicas. • Estropean los recubrimientos a base de ceras y barnices, dando como resultado una capa opaca blancuzca. • Propician el ataque de hongos e insectos.	• Alejar los objetos de fuentes de calor (radiadores, etc.). • Alejar los objetos de zonas húmedas o cercanas al agua. • Proteger la madera con el acabado adecuado (barniz, cera, etc.) y comprobar regularmente su estado. • Limpiar regularmente en profundidad los objetos, incluyendo partes traseras e inferiores. • Efectuar revisiones periódicas.
• Luz	• Modificación del color de la madera, que se oscurece o aclara. • Aumento de la temperatura superficial de la madera. • Estropea los recubrimientos compuestos por ceras y barnices. • Puede propiciar el ataque de insectos y hongos.	• Alejar los objetos de fuentes de luz intensa, como ventanas por las que penetra el sol o lámparas muy potentes. • Instalar en las oberturas por donde penetra el sol cortinas de algodón o lino.
• Hongos	• Manchas en la madera. • Destrucción de zonas de la madera.	• Situar el objeto en un espacio ventilado y poco húmedo. • Evitar poner la madera en contacto directo con la tierra.
• Insectos	• Orificios en la superficie y galerías en el interior de la madera. • Destrucción total de los objetos y elementos estructurales.	• Aplicar un acabado o recubrimiento a la madera y comprobar su estado regularmente. • Tapar los orificios y ranuras de la superficie de la madera. • Limpiar regularmente todas las superficies del objeto, incluidas las inferiores e interiores y las posteriores. • Efectuar controles periódicos para detectar posibles agujeros, serrín característico o insectos voladores. • Evitar poner en contacto objetos atacados con otros libres de insectos.

3 Procesos

Todo trabajo de restauración o renovación requiere innumerables procesos, que
variarán dependiendo del estado y el tipo de muebles
u objetos. En este capítulo se muestran los procesos más habituales para solucionar la mayoría de los problemas con que nos enfrentaremos. Se han agrupado siguiendo el orden de trabajo:
establecer el estado de la pieza, tratamiento de la estructura,
añadido y reparación de algunas partes y adecuación de
las superficies. El lector podrá optar por los procesos
descritos en este capítulo o por los que se detallan
en los capítulos de restauración y renovación,
buscando las soluciones más adecuadas
para desarrollar su trabajo.

Inicio

El paso previo a la restauración o renovación de un mueble u objeto de madera es establecer su estado general; de este modo, podremos valorar el tiempo que nos llevará, decidir los procesos que conviene emplear y prever qué materiales y herramientas necesitaremos. En los trabajos de restauración se realiza un diagnóstico general y en detalle de las posibles alteraciones que afectan la madera y los problemas que presenta el objeto o mueble en cuestión. En los procesos de renovación se elabora un proyecto, donde se reseñan las soluciones que se adoptarán, entre ellas, las piezas que habrá que eliminar o añadir.

Diagnóstico

Para realizar el diagnóstico examinaremos el mueble u objeto desde todos los ángulos. Lo giraremos y extraeremos los cajones y estantes. Anotaremos con detalle su estado general, y luego pasaremos a reseñar por orden sus características y el estado de sus partes, ya que este estudio será la herramienta que nos permitirá restaurar correctamente la pieza. Los pasos que hay que seguir son: estudio de las tareas de carpintería que se deben realizar, valoración del estado de la madera, tipo de mueble u objeto y estado de los accesorios. Con todo ello podemos restaurar el objeto desde un punto de vista global, preservando todos los elementos originales posibles, que sólo se sustituirán cuando impidan el buen uso o funcionamiento y en determinados casos, por ejemplo en zonas perdidas de incrustación y marquetería.

Una mesa velador: diagnóstico del estado general

Mesa velador confeccionada con una estructura de madera de pino y chapeada en sapelli. El mueble recibió un acabado de goma laca teñida.

La estructura presenta un estado general sólido, sin partes desajustadas o roturas importantes; no será necesario reforzarla. El cajón está entero y se desliza perfectamente. La capa de acabado se halla en mal estado: presenta manchas, rayas y zonas muy opacas. Se eliminará y se lacará de nuevo.

Examen del estado de sus partes

Giramos el mueble y examinamos las partes inferiores y zonas ocultas.

Observamos que en la zona inferior de las patas se ha desprendido parte de la chapa que recubría el armazón. Habrá que chapear de nuevo estas zonas. Buscaremos una chapa de características similares a la existente, y la teñiremos.

También apreciamos que una de las molduras del tablero central se halla a punto de desprenderse y su extremo está roto. Habrá que fijar la moldura existente con clavos y adquirir otra parecida para reparar la parte que falta. Después la teñiremos.

Proyecto

Para realizar un proyecto de renovación hay que tener en cuenta varios aspectos. En primer lugar, revisar el mueble u objeto para establecer su estado general, luego se examinarán todas la partes estableciendo aquellas que conviene conservar, las que se tienen que reparar o las que es imprescindible sustituir por completo. A continuación, se procederá a confeccionar un croquis o dibujo del objeto donde se anotarán los colores, las piezas que hay que añadir o eliminar, los acabados... El croquis puede confeccionarse a escala y estar muy elaborado o tratarse de un sencillo dibujo donde se indicarán los aspectos más importantes; en cualquier caso, servirá a modo de guía para nuestro trabajo.

Proyecto de renovación de un taburete

Taburete fabricado en madera de pino maciza. Su estructura se halla en muy buen estado.

1- La superficie de la madera se halla manchada y presenta numerosas rayas y golpes, resultado de un uso continuado. Lo más indicado será darle un recubrimiento pictórico.

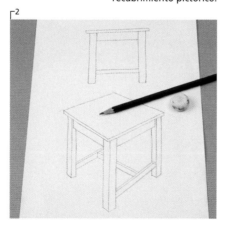

2- Anotamos las características del mueble. A continuación, medimos todas sus partes para confeccionar el croquis. Elaboramos el croquis del taburete, en este caso a escala. Es recomendable dibujar primero una vista en perspectiva. Si fuera necesario, se confeccionarán también vistas de los diferentes laterales.

3- Sobre el dibujo reseñamos las soluciones que adoptaremos. Con ayuda de la carta de colores, así como de diversas pruebas de tintes y pinturas sobre madera, decidimos qué colores emplearemos. Coloreamos el croquis para apreciar el aspecto general del resultado final; valoramos si es necesario variar algún color u optar por un acabado diferente. Luego dibujamos las piezas que habrá que añadir; en este caso, tiradores cuya función es meramente decorativa.

Estructuras

La estructura es la parte fundamental de cualquier pieza de mobiliario, es el elemento constructivo que sustenta todo el mueble. Toda intervención sobre ella tendrá que ser mínima, ya que cualquier cambio o modificación podría requerir el empleo de técnicas y procesos laboriosos para los que es necesario tener cierta experiencia. Los procesos más usuales son: el desmontaje y posterior montaje, protección de partes, encolado y consolidación de piezas.

Desmontaje

Con frecuencia, será necesario desmontar por completo una pieza de mobiliario. Todas la operaciones se tendrán que realizar con gran cuidado para evitar posibles rayas o roturas de la madera, así como pérdidas de piezas, clavos, tornillos u otros elementos decorativos. El proceso siempre se efectuará en un espacio amplio, donde se desmontarán las partes en orden, marcándolas y almacenándolas de manera conveniente. Si la pieza en cuestión tiene una estructura muy complicada, anotaremos la situación de cada parte, referenciando los pasos realizados. El marcado o la numeración de las partes o ambos sistemas y las anotaciones servirán después de guía durante el proceso de montaje, permitiéndonos trabajar de forma rápida y eficaz.

Desmontaje de una cómoda

Iniciamos el desmontaje de la cómoda sacando en primer lugar los cajones. Luego extraeremos otras partes más complicadas, como el mármol que cubre el tablero superior.

1- Antes de extraer por completo los cajones marcamos cada uno con una etiqueta numerada en orden descendente. Para indicar el lugar donde van ubicados fijamos una etiqueta con el mismo número del cajón en la parte interior de la cómoda.

2- Seguidamente, disponemos un cajón sobre una superficie de trabajo amplia. Con el destornillador puesto en vertical desatornillamos los tiradores y la bocallave de la parte frontal de cada cajón evitando marcar la madera.

3- Almacenamos las piezas en el interior de una caja de plástico, las disponemos en compartimientos separados para evitar confusiones. Finalmente, marcamos la caja con el mismo número que el cajón. Para almacenar también es posible confeccionar con papel pequeños paquetes para envolver las piezas o disponerlas en diversas bolsas.

Desmontaje de herrajes y bisagras

El desmontaje de herrajes, tanto bocallaves como bisagras o elementos decorativos requiere la extracción de los clavos o tornillos que los sujetan a la madera.

1- En esta ocasión, la bocallave está firmemente unido a la madera con clavos. Aprisionamos la cabeza del clavo con unas tenazas y tiramos con fuerza. El clavo es muy viejo y ofrece resistencia; lo más indicado será realizar un ligero movimiento de palanca a la vez que tiramos de él. Evitamos marcar la madera situando un fragmento delgado de ésta en la zona donde apoyaremos parte de la boca de las tenazas.

2- Para separar bisagras u otros elementos de la superficie de la madera efectuaremos palanca con cualquier herramienta. Aquí separamos el bocallave disponiendo el extremo de un destornillador entre el metal y la madera y, a continuación, efectuando un suave movimiento de palanca. Situamos un fragmento no demasiado grueso de madera para proteger la superficie del mueble de posibles rayas.

3- Para sacar las bisagras disponemos el destornillador vertical y efectuamos presión mientras desatornillamos. Si los tornillos ofrecen resistencia, golpearemos con el martillo sobre el extremo del mango del destornillador para provocar su movimiento.

Protección de elementos

En ciertas ocasiones, al enfrentarnos a la renovación o restauración de un objeto o mueble será imposible desmontar todas las piezas o los elementos que lo componen, a causa de su fragilidad o porque requieren un proceso complicado. En estos casos, habrá que proteger esmeradamente tales elementos contra posibles golpes y ataques de productos químicos empleados para tratar la madera.

Para proteger elementos realizados en rejilla, enea o cualquier otro material delicado se aconseja utilizar cinta adhesiva de papel bastante ancha. Recubrimos todo el perímetro del asiento de rejilla pegando la cinta de papel de tal manera que no quede ningún espacio libre.

Protección de asientos y cristales

Los asientos de rejilla o de enea son, por su propia naturaleza, muy delicados y es imprescindible protegerlos si se utilizan productos químicos agresivos.
Los cristales y espejos, dada su fragilidad, necesitan mayor protección.

Para proteger cualquier tipo de cristales o espejos, o como en este caso un espejo antiguo, en primer lugar pegamos cinta adhesiva de papel cubriendo cuidadosamente todos los lados. A continuación, cortamos un fragmento de papel grueso (en este caso de embalar) o de plástico de dimensiones similares al espacio que hay que cubrir. Luego lo sujetamos también con cinta adhesiva de papel sobre la cinta que se ha colocado alrededor del perímetro.

Consolidación y encolado

Uno de los problemas habituales que presentan gran parte de muebles u objetos es la fragilidad e inestabilidad de su estructura. Esto suele deberse a la rotura de partes (paneles, tableros, patas...) o al desencajado de las piezas de unión de la estructura. En ambos casos, las soluciones son sencillas y no requieren procesos laboriosos.

Consolidación con masilla comercial

Para reparar la superficie de tableros u otras piezas de madera que han sufrido el ataque de insectos es muy práctico emplear masilla comercial. Esta masilla se comercializa en gran variedad de colores y texturas, lista para ser usada.

Se aplica con una espátula metálica en el interior de cada orificio, después, se deja secar. Finalmente, se lija frotando con un papel de lija de grano fino del número 180.

Preparación de la masilla

Preparamos nuestra propia masilla mezclando serrín fino con cola de carpintero (PVA), yeso para paredes y agua corriente hasta conseguir una pasta espesa y consistente, apta para aplicar en cualquier rotura de la madera.

1- El serrín le proporcionará una textura parecida a la madera, la cola unirá los componentes y el yeso, al secarse, otorgará dureza a la mezcla.

2- Reparamos la grieta de un tablero interior de un mueble. Con una espátula metálica aplicamos la masilla en el interior de la rotura hasta cubrir el espacio entre los dos fragmentos de madera. Luego la dejamos secar durante 24 horas.

3- Después, lijamos la superficie de la masilla frotando con un papel de lija del número 180 en el sentido de la veta de la madera. Lijamos por ambas caras del tablero hasta conseguir dos superficies lisas y niveladas.

Preparación de colas calientes

Para reparar pequeñas piezas decorativas o fijar piezas de marquetería, lo más indicado es encolarlas con cola de conejo aplicada en caliente. Para fijar partes de muebles, piezas estructurales que sostienen peso o fragmentos de gran tamaño se encolarán en caliente con cola fuerte. La preparación de ambos tipos de cola es parecida.

1- Para preparar cola de conejo (A) disponemos una parte de cola de conejo granulada y dos de agua corriente en un bote de cristal. A continuación, dejamos reposar 24 horas, para que la mezcla se reblandezca. Para preparar cola fuerte (B) ponemos una parte de cola de huesos o fuerte granulada en un bote y añadimos el mismo volumen de agua; también dejamos transcurrir 24 horas.

2- Los dos tipos de cola se preparan calentándolos al baño María. Situamos el bote con la cola reblandecida dentro de un recipiente con agua y lo calentamos sobre un hornillo eléctrico. Por acción del agua caliente la cola se deshará lentamente y tomará una consistencia líquida. No debe hervir jamás, ya que pierde su poder de adhesión.

Sistemas de encolado

Para encolar correctamente estructuras de cierta complejidad constructiva es muy útil recurrir a diversos sistemas para aplicar la cola y fijar las partes.

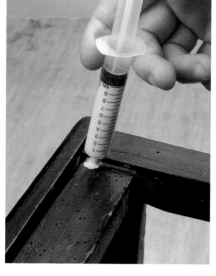

Aplicar la cola con ayuda de una jeringa es muy útil cuando existen zonas difíciles de acceder con el pincel. En este caso, encolamos un encaje defectuoso de una silla aplicando cola de carpintero en el pequeño espacio libre entre el bastidor del asiento y el montante de la pata.

El sargento de 4 puntas es el más adecuado para unir ángulos rectos. Aquí lo utilizamos para consolidar la estructura de una silla fijando el encolado del bastidor de ángulos rectos y con patas cuadradas.

Los gatos o sargentos permiten la unión de nuevas piezas a la madera ya existente y el correcto encolado de ensambles al mismo nivel. Es conveniente situar piezas de protección entre el objeto y el gato.

El sistema de torniquete es ideal para fijar uniones no paralelas o en curva. Las sillas, por su complejidad constructiva, son los muebles en los que más se usa. El torniquete permite fijar uniones complicadas de una manera fácil y rápida, ejerciendo fuerza a medida que enroscamos la cuerda alrededor de una madera. En este caso, el torniquete sujeta la unión de las patas con el respaldo.

Encolado de partes curvas

Para reparar tableros o piezas planas con partes curvas no es adecuado el uso de gatos, ya que son difíciles de sujetar y tienden a resbalar y desplazarse.

Para encolar este tipo de piezas hay que fijarlas, una vez unidas con cola, sobre un tablero (en este caso, de conglomerado) con clavos que las sujetarán a tope. Se fijarán de manera que realicen la máxima presión posible para facilitar el encolado. Dejamos secar la cola de carpintero durante 24 horas y luego extraeremos los clavos.

Montaje

Finalizada la restauración o renovación del mueble, se efectúa el montaje final. El proceso incide directamente en la estructura de la pieza, por este motivo se tratará en este apartado y no como un acabado final. El montaje de cualquier mueble u objeto es más laborioso que el desmontaje. El correcto montaje de cada parte dependerá en gran medida de las indicaciones y notas tomadas durante el desmontaje, así como del adecuado almacenamiento y numeración de las piezas. Recuérdese que el proceso de montaje de una pieza de mobiliario incidirá en la solidez de su estructura, el aspecto general de nuestro trabajo y el uso futuro del mueble. Un proceso incorrecto afectará a la estructura y provocará el desajuste de encajes y la rotura de algunas partes.

Montaje de una mesa extensible

Finalizado el proceso de restauración, montamos una mesa extensible fabricada en madera de caoba maciza. Cada proceso de montaje será diferente, dependiendo del tipo de mueble u objeto, su calidad y el uso al que irá destinado. Sin embargo, en todos los casos el objetivo será conseguir una estructura sólida y resistente.

1- Aquí, las patas de la mesa llevan ruedas, que se hallan en muy mal estado, completamente gastadas y rotas en algunos lugares; será necesario sustituirlas. Disponemos algunas gotas de aceite lubricante en la juntura de las ruedas con la pata.

2- Sacamos cada rueda tirando con fuerza. Si la extracción implica alguna dificultad añadimos mayor cantidad de aceite y empleamos unas tenazas para tirar de la rueda.

3- Disponemos el tablero de la mesa hacia abajo sobre una superficie amplia, en este caso el suelo. Presentamos todos los elementos situándolos en el lugar que corresponde para asegurarnos de que no falta ninguna pieza. A continuación, preparamos los elementos de unión, los tornillos y arandelas, y las herramientas para el montaje.

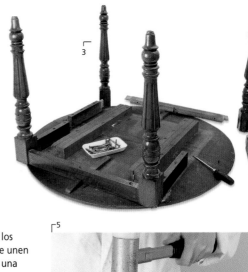

4- Encolamos los travesaños que unen las patas. Con una paletina aplicamos cola de carpintero (PVA) sobre la espiga del travesaño.

5- Unimos el travesaño a la pata introduciendo la espiga en el encaje. Para situarlo golpeamos suavemente el extremo libre con la maza de cabeza de nailon hasta que ajuste en el interior de la pata.

6- Montamos los travesaños y las patas en su emplazamiento original, asegurándonos de que encajan. Fijamos los cuatro travesaños al tablero de la mesa y los atornillamos con los elementos originales. También unimos con los tornillos originales los travesaños interiores del mecanismo de las alas.

7- Finalizadas estas operaciones, comprobamos con la escuadra que las patas están montadas correctamente. Deben formar un ángulo recto respecto a los travesaños y el tablero y no presentar ningún desajuste.

⌐8

8- A continuación, sustituiremos las ruedas antiguas por otras adquiridas en el comercio. Las nuevas ruedas tienen un sistema de sujeción diferente: su mecha de encaje es más estrecho. Para solucionar este problema, añadiremos una pieza que trabará y sujetará el encaje de las ruedas modernas. Con el micromotor montado con una broca delgada horadamos el centro de una mecha. Ésta será del mismo diámetro que el espacio de la pata donde se encajaban las ruedas originales.

⌐6

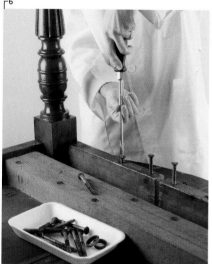

⌐7

⌐9

⌐10

⌐11

9- Situamos la mecha adaptada en el interior del encaje de cada pata, asegurándonos de que queda fijada.

10- Fijamos las ruedas al extremo de las patas atornillándolas. Las ruedas adquiridas en el comercio difieren de las antiguas. Las nuevas son de un tamaño algo mayor, y cada una puede soportar hasta 25 kg. Finalizado este proceso, dejamos transcurrir 24 horas antes de girar la mesa.

11- El brillo metálico de las cuatro ruedas contrasta con la calidad de la madera de caoba recubierta de goma laca. Para matizar la superficie e integrarla en el conjunto recubrimos el metal con tinte. Con un pincel suave de tamaño mediano aplicamos una capa de betún de Judea sin diluir.

⌐12

12- El mueble, una vez restaurado y montado, presenta una estructura sólida y resistente; se puede utilizar en el comedor como mesa de diario.

Piezas

El aspecto general de un mueble depende en gran medida de los acabados finales y los elementos o piezas que lo conforman. El añadido o sustitución de algunas piezas puede variar por completo un objeto, confiriéndole un aspecto muy diferente del original. En ocasiones, algunos problemas afectan a la estructura de un mueble; entonces, es preciso sustituir las piezas rotas o en mal estado.

Añadido

Estos procesos se emplearán casi exclusivamente en los trabajos de renovación de mobiliario. Las molduras servirán para rematar ángulos de paneles y cajones, para enmarcar motivos o decorar. Los tiradores, pomos y asas modificarán el aspecto de un puerta o un cajón; también pueden tener una función meramente decorativa. La transformación radical de una pieza de mobiliario, a la que se da un nuevo uso, comportará el añadido o la extracción de puertas, tapas, tableros...

1- Tapas: añadimos una tapa a un cajón de pequeñas dimensiones para transformarlo en un joyero. Adquirimos un fragmento de madera contrachapada cortada a medida por un carpintero. Medimos y centramos las bisagras en el interior de la tapa y marcamos con la barrena la situación de los tornillos. Efectuamos la misma operación sobre uno de los lados de la caja: medimos, centramos y marcamos la situación de las bisagras sobre la parte superior de un lateral. Luego las atornillamos a la tapa.

2- A continuación, las atornillamos al lateral de la caja asegurándonos de que cierran perfectamente.

Añadido de tiradores y tapas

La transformación del aspecto general de un mueble se reforzará con la adición de molduras, puertas y tapas, tiradores, asas...

Tiradores: en primer lugar, medimos y centramos la pieza en el panel o tablero donde se fijará. Marcamos la situación exacta sobre la madera, resiguiendo su contorno con un lápiz de mina blanda marcando el lugar donde fijaremos los tornillos efectuando un pequeño orificio con una barrena, o ambas cosas. Situamos el tirador sobre las marcas y disponemos los tornillos en los orificios. Clavamos o atornillamos.

Añadido de molduras

Un proceso sencillo y rápido para renovar fácilmente el aspecto de una cómoda es añadir molduras decorativas a los cajones. El primer paso consiste en medir un lado del cajón.

1- En el comercio hemos adquirido una moldura a nuestro gusto. Trasladamos la medición efectuada y marcamos a lápiz el punto donde efectuaremos el corte. Disponemos la moldura en el interior de la caja de ingletes, sujetándola con una mano contra uno de los lados. Pasamos la sierra de costilla por la guía y cortamos por la marca en el ángulo deseado.

2- Con un pincel o paletina estrecha aplicamos cola de carpintero en el reverso de la moldura y la fijamos sobre el lado del cajón, ajustando su situación. Finalizamos clavando un par de agujas para asegurar la unión de la pieza añadida al tablero frontal del cajón. Repetiremos este proceso con todos los cajones.

Sustitución de piezas

La sustitución de piezas existentes requerirá procesos más laboriosos que el añadido o la extracción de elementos. En los trabajos de restauración se conservarán, siempre que sea posible, todos los elementos. Sólo se sustituirán piezas o elementos en caso de que la estructura del mueble u objeto o su función se vea afectada. En los trabajos de renovación no es necesario conservar la totalidad de elementos originales, por lo que la sustitución de algunas partes se efectuará siguiendo criterios prácticos.

Sustitución de la guía de un cajón

Los cajones, por su uso, tienden a estropearse fácilmente. A continuación se indica el proceso completo para repararlos.

1- Este cajón presenta una de sus guías desgastada por el uso continuado y el exceso de peso que soportó.

2- Iniciamos la reparación nivelando la parte desgastada. Medimos y marcamos con un lápiz y una regla la zona que será necesario eliminar para igualar la superficie de la guía.

3- Rebajamos con el cepillo metálico la madera hasta que coincida con la marca. Luego nivelamos y alisamos todo el lateral con la escofina.

4- Adquirimos, cortado a la medida, un fragmento de tablón de madera maciza de anchura similar a los laterales del cajón. Aplicamos cola de carpintero (PVA) sobre la zona que debemos reparar y situamos la madera nueva, luego la fijamos atornillando un gato a cada extremo.

5- Dejamos transcurrir 24 horas y desmontamos los gatos. Seguidamente, rebajamos el grueso sobrante con el cepillo hasta nivelar la guía nueva respecto a la existente en el otro extremo del cajón.

Superficies

La adecuación de la superficie de la madera es, seguramente, el aspecto que requiere procesos más diversos y elaborados. El resultado de nuestro trabajo dependerá de su aspecto exterior. No podremos considerar una restauración o renovación correctas sin la adecuada limpieza de los diferentes materiales, la preparación de la madera y un recubrimiento final protector. Los diferentes acabados contribuirán a proteger y realzar la madera.

Decapado

El decapado de la madera será necesario en numerosos casos, tanto en los trabajos de restauración como de renovación. Un mueble que presenta una gruesa capa de pintura que esconde una madera de calidad, otra que evidencia grandes zonas desiguales de color debido al uso, un objeto que, aunque barnizado de origen en un color oscuro, es ahora más atractivo de un color similar a su madera natural, son algunos de los casos en que recurriremos al decapado. Existen diferentes sistemas de decapado, los cuales se agrupan en mecánicos (lijado o con pistola de aire caliente) y químicos (alcohol, sosa cáustica y decapante), según el sistema empleado.

Decapado al alcohol

El alcohol es un decapante muy indicado por sus cualidades: no es tóxico y su precio resulta muy asequible. El decapado con alcohol se emplea para eliminar acabados con goma laca.

Con una paletina aplicamos una cantidad generosa de alcohol sobre una zona de la madera, en este caso, el tablero de una mesa. Dejamos transcurrir un tiempo para que se reblandezca la capa superficial y la eliminamos frotando con un manojo de lana de acero del número 000. Finalizamos frotando la madera con un manojo de cabos de algodón empapados en alcohol.

En un cubo de agua caliente se diluye 1 kg de sosa por cada 5 L de agua, si la capa de pintura no es muy gruesa, o en 2 L de agua, si lo es. Agitamos hasta la total disolución. En esta ocasión, decapamos un cajón pintado con varias capas de pintura plástica. Aplicamos la sosa con un manojo de cabos de algodón y frotamos en el sentido de la veta de la madera hasta eliminar la pintura. Luego lavamos la madera con abundante agua corriente y con cabos.

Decapado con sosa cáustica

El decapado mediante sosa cáustica en solución se empleará sólo sobre madera de pino maciza, ya que es la única que admite este procedimiento tan agresivo. Dado que la sosa es un producto químico irritante, será imprescindible usar guantes largos de neopreno, mascarilla antivapores, gafas y ropa de algodón gruesa.

Decapado con gel comercial

El uso de decapantes comerciales está muy extendido. Todos ellos, independientemente de su consistencia o presentación, son irritantes y tóxicos. Resulta imprescindible el uso de guantes de neopreno, mascarilla antivapores, protectores oculares y ropa de algodón gruesa.

1- El primer paso consistirá en aplicar el decapante en gel con una paletina sobre la cara frontal de un cajón.

2- Dejamos transcurrir un tiempo para que actúe. A continuación, eliminamos la pasta de la superficie de la madera, levantándola con una rasqueta y depositándola sobre un fragmento de papel. Finalizamos frotando la superficie con un manojo de cabos de algodón limpios con disolvente universal para eliminar posibles restos de decapante.

Decapado con lijas

El lijado manual es el más indicado para eliminar capas finas de barnices o pinturas.

El lijado mecánico es el idóneo para zonas lisas y grandes superficies. La lijadora mecánica permite utilizar diferentes gruesos de papel de lija.

Para decapar entrantes y elementos de talla podemos confeccionar lijas a la medida. Enrollamos un fragmento de papel de lija sobre sí mismo, formando un cilindro que se adaptará a la anchura del espacio que se desea lijar.

Frotamos la superficie con un papel de lija de grano medio.

Los tacos de espuma recubiertos con papel de lija son los más indicados para decapar zonas curvas con elementos ondulados. Se adaptan perfectamente a la superficie, proporcionando un lijado uniforme.

Decapado con pistola de aire caliente

La pistola de aire caliente se usa para decapar maderas macizas con grandes gruesos de pintura. Permite decapar vastas zonas en poco tiempo; resulta muy indicada en puertas y vigas.

La acción del aire caliente sobre la pintura de esta puerta provoca su reblandecimiento y abombamiento; se eliminará eficazmente con la espátula de pintor. Se usará una pistola con regulador de flujo de aire y de temperatura para no quemar la madera.

Limpieza

Antes de abordar el acabado de la madera es imprescindible limpiar en profundidad todos los exteriores e interiores del mueble u objeto. De lo contrario, el resultado final desmerecería y devaluaría la calidad de nuestro trabajo. Determinados materiales como el mármol y el metal requieren procesos especiales.

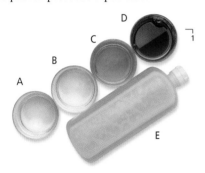

Preparación del reanimador

Si la madera no ha recibido ningún tratamiento, la limpieza se realiza con un reanimador que le otorgará, además, profundidad y viveza.

1- En un recipiente, preferentemente de plástico o cristal y con tapón dosificador, mezclamos 200 ml de alcohol de 96° (A), 200 ml de aguarrás (B), 50 ml de vinagre común (C) y 200 ml de aceite de linaza (D). Cerramos bien el recipiente y agitamos hasta conseguir un líquido homogéneo de aspecto turbio (E).

2- La madera de este cajón se halla en buen estado, pero presenta una capa superficial que empaña su belleza. Para mejorar el aspecto general aplicamos la mezcla de reanimador con un fragmento de algodón en el sentido de la veta de la madera.

Limpieza de mármoles

El primer paso para limpiar cualquier superficie de mármol consiste en eliminar el polvo superficial.

2- En un recipiente de cristal de boca ancha mezclamos 10 partes de agua con 1 parte de jabón neutro (Ph 7) y 4 gotas de amoníaco. Limpiamos el mármol con un fragmento de algodón empapado en esta mezcla, que lo limpiará en profundidad sin atacar la superficie; frotamos mediante movimientos circulares. Enjuagamos con un algodón empapado en agua y dejamos secar.

1- Con una paletina o pincel grueso de pelo suave barremos toda la suciedad y el polvo depositados sobre la superficie para evitar que se introduzca en los poros del mármol.

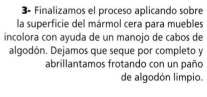

3- Finalizamos el proceso aplicando sobre la superficie del mármol cera para muebles incolora con ayuda de un manojo de cabos de algodón. Dejamos que seque por completo y abrillantamos frotando con un paño de algodón limpio.

Limpieza de metales

Los elementos confeccionados en metal (tiradores, bisagras, cerraduras, bocallaves...) están presentes en la mayoría de muebles y objetos. Su limpieza requerirá un proceso específico muy diferente de la que se da a la madera u otro tipo de materiales.

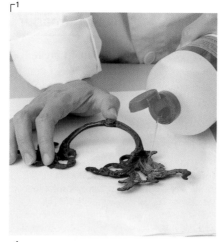

1- En el caso de elementos de bronce, mojamos la pieza (un asa) con alcohol para reblandecer la capa de suciedad superficial.

2- Seguidamente, frotamos todas las superficies del asa con un cepillo de púas metálicas hasta desprender la capa de suciedad que oscurece el metal.

3- Luego frotamos las superficies con un papel de lija del número 400 hasta conseguir un metal perfectamente limpio y pulido.

4- Finalizamos frotando con un fragmento de lana de acero del número 000; insistimos en las hendiduras y los recovecos.

5- Para proteger el bronce del proceso de oxidación natural damos una mano de cera final para muebles. La aplicamos mediante un fragmento de algodón, procurando recubrir todas las superficies, así como los entrantes y rincones. En este caso, la cera está teñida de color nogal, lo que contribuye a matizar el brillo natural del metal limpio y pulido.

6- La dejamos secar. Bruñimos la superficie del asa frotando con un cepillo de pelo suave hasta conseguir un brillo uniforme.

Limpieza de interiores

El interior de muebles y objetos acostumbra a acumular gran cantidad de polvo y suciedad. Cualquier trabajo de aserrado, lijado o rebajado realizado durante los trabajos de renovación o restauración lo aumentará.

Para limpiar el interior de armazones, cajones y baldas lo más indicado es emplear un aspirador doméstico graduado a la máxima potencia. Con un pincel grueso o paletina levantaremos la suciedad acumulada en los ángulos y junturas dirigiéndola hacia la boca del aspirador.

Acabados

Los diversos procesos de acabado son tan importantes como todos los trabajos de renovación o restauración. El acabado final de cualquier mueble u objeto recubrirá la madera realzando sus cualidades y la protegerá de los factores que provocan su deterioro. Existen multitud de acabados distintos, los cuales requieren el uso de diferentes tipos de materiales y la aplicación de técnicas más o menos complicadas. Muchos de ellos son combinaciones o variaciones de los dos acabados más usuales: con cera y con goma laca. El barnizado con productos comerciales es fácil de aplicar y asegura un resultado óptimo sobre superficies teñidas o pintadas. En ciertas ocasiones, habrá que efectuar retoques para disimular pequeñas lagunas de color una vez finalizado el acabado.

El teñido y pintado de la madera también se consideran acabados, ya que el primero se aplica sobre la madera ya acondicionada y el segundo protege las superficies.

Teñido

Para teñir superficies de madera lo más indicado es utilizar tintes al agua, ya que permiten una aplicación uniforme y homogénea y aumentar el tono de color superponiendo capas.

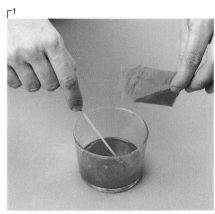

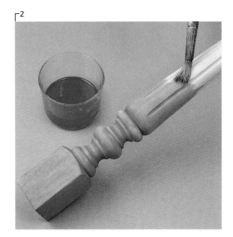

1- Preparamos un tinte al agua mezclando en un recipiente agua caliente con anilina en polvo soluble al agua. La cantidad de anilina variará dependiendo de la intensidad de color que se desee obtener; recomendamos realizar pruebas sobre fragmentos de madera antes de aplicar el tinte.

2- Para teñir superficies pequeñas, elementos de talla o torneados empleamos un pincel. Después dejamos secar perfectamente la madera. La acción del agua levanta el repelo de ésta; lo eliminaremos frotando la superficie en el sentido de la veta con un estropajo de esparto.

Retoques

Los retoques se aplican para disimular pequeñas lagunas de color sobre la madera que ya ha sido restaurada, antes de recibir la capa de acabado o sobre el acabado final.

Para disimular pequeñas rayas o marcas sobre la superficie de la madera antes de recibir el acabado final o incluso sobre éste se pueden emplear dos sistemas distintos. El primero consiste en aplicar un tinte cetónico con un pincel fino de pelo suave especial para retoques sobre la laguna de color.

También se pueden emplear rotuladores de retoque de un color similar a la madera. Igualamos y disimulamos el retoque golpeando ligeramente con el dedo, hasta conseguir el total difuminado sobre la madera.

Barnizado

El barnizado con productos comerciales requiere un lijado previo de la madera. Su aplicación es sencilla y el resultado final confiere un acabado muy resistente.

En el mercado es posible adquirir diversos tipos de barnices: tapaporos nitrocelulósico, barniz al agua, barniz acrílico...; con distintos acabados: brillante, mate o satinado; y de diferentes colores: imitando el tono de las maderas o de vivos colores. En este caso, barnizamos la pata de una mesa con barniz al agua de color rosa pastel.

Preparación de la cera

El encerado es el acabado más antiguo, consiste en la aplicación de cera sobre la madera y, una vez seca ésta, abrillantarla friccionando con un paño de lana o algodón sin pelusa.

2- Disponemos los tres ingredientes en un recipiente metálico y lo calentamos al baño María, removiendo con un palo largo o espátula hasta conseguir un líquido homogéneo.

1- Para fabricar nuestra propia cera cortamos con ayuda del formón y el martillo 50 g de parafina, luego pesamos 50 g de cera pura de abeja y 50 g de carnauba (que contribuirá a endurecer la cera).

3- Retiramos el recipiente y lo dejamos enfriar ligeramente. Con la mezcla aún tibia añadimos 250 ml de trementina removiendo continuamente. Para finalizar, vertemos la cera en un bote metálico de boca ancha. Es aconsejable que el bote disponga de una tapa hermética para evitar la evaporación de la trementina.

4- La cera, al enfriarse, se vuelve sólida. Recogemos una pequeña cantidad del bote con un manojo de cabos de algodón y la aplicamos en una fina capa sobre el bastón, luego dejamos secar.

5- Abrillantamos la superficie del bastón frotando con un paño de algodón limpio.

Preparación de la goma laca

Existen en el mercado diversos tipos de goma laca preparados que se aplican directamente. Pero la preparación de este material es un proceso rápido y sencillo que no requiere demasiado trabajo, y que podemos realizar nosotros mismos.

1- En primer lugar, pesamos 50 g de goma laca descerada en escamas.

2- La disponemos en el interior de un bote de cristal de boca estrecha, el cual deberá tener una tapa hermética para evitar la evaporación de la mezcla.

3- Añadimos medio litro de alcohol de 96º, y cerramos el bote. Esperamos hasta que la goma laca esté perfectamente disuelta. Favorecemos la disolución agitando el bote de vez en cuando.

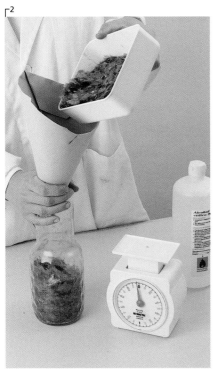

4- La goma laca siempre presenta impurezas, que será necesario eliminar. En un bote de plástico (con un tapón dosificador) situamos un embudo recubierto con un trapo de tejido fino de trama abierta o un fragmento de media y filtramos la goma laca líquida. Cerramos el bote con el tapón y el dosificador y anotamos en una etiqueta la fecha y la concentración de goma laca.

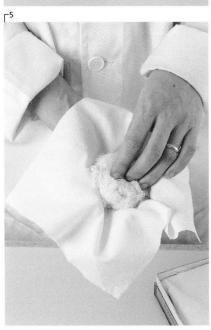

5- El instrumento adecuado para aplicar goma laca es la muñequilla. Para confeccionarla situamos una bola prieta de cabos de algodón limpios en el centro de un fragmento de paño de algodón cuadrado.

6- Recogemos las cuatro puntas del cuadrado en la parte posterior del manojo de cabos y efectuamos un movimiento de torsión, de tal manera que queden unidas formando un asa.

7- Para aplicar la goma laca, cargamos la muñequilla disponiendo una cantidad generosa sobre la bola de cabos. A continuación, cerramos el hatillo y eliminamos el líquido sobrante efectuando presión sobre la muñequilla con un papel de cocina absorbente.

8- Lacamos sosteniendo la muñequilla de manera que sujetemos las puntas en asa con los dedos meñique y anular sobre la palma de la mano, y disponemos el pulgar, índice y corazón a modo de trípode, sujetando lateralmente el cuerpo de la muñequilla.

9- Aplicamos la goma laca con movimientos estrechos y pequeños en forma de ocho (A). A medida que damos diversas capas aumentamos la amplitud de las pasadas en forma de ochos (B). Finalizamos mediante amplios movimientos en zigzag (C) y dando en la última capa aplicaciones longitudinales en el sentido de la veta de la madera (D).

10- Para conservar en perfectas condiciones la muñequilla después de cada uso, la introducimos en un recipiente hermético y le añadimos un chorro de alcohol.

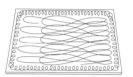

A

B

C

D

Pintado envejecido

Preparamos la madera de esta moldura aplicando con un pincel una capa de selladora acrílica y dejamos secar.

1- Seguidamente, damos con una paletina estrecha una mano de pintura acrílica de color suave, en este caso amarillo.

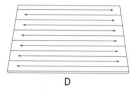

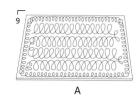

2- Antes de que seque totalmente damos una capa de pintura de un color fuerte, en esta ocasión rosa pastel.

3- En un recipiente de cristal mezclamos barniz mate comercial con una pequeña cantidad de pintura al óleo de color sombra tostada. Antes de que seque por completo la capa de pintura aplicamos el barniz con un pincel de punta cuadrada. Eliminamos el exceso frotando con un manojo de cabos de algodón y dejamos secar durante media hora.

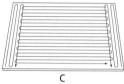

4- Con un manojo de lana de acero gruesa (número 00) frotamos las partes salientes de la moldura; esto proporciona un aspecto desgastado y hace aparecer bajo el barniz las diferentes capas de color, creando un efecto de envejecido.

capítulo

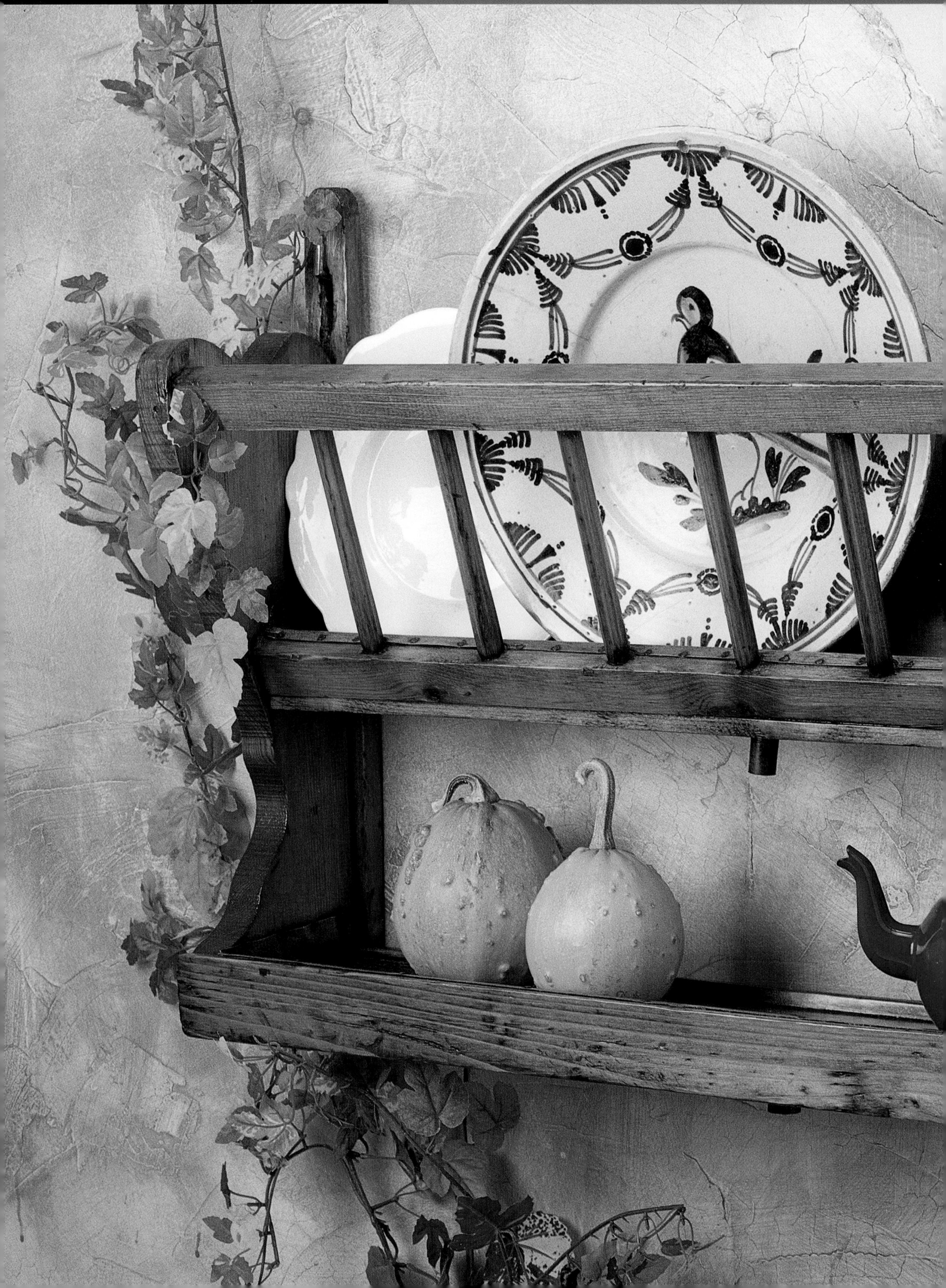

Restauración

La restauración de muebles o de cualquier objeto de madera requiere una serie de procesos bien definidos: la limpieza, la desinfección, la reparación de piezas y el acabado final. Estos procesos variarán extraordinariamente según el objeto en cuestión y dependerán del tipo de madera y los problemas que presente. En este capítulo se desarrolla una serie de ejercicios que plantean la restauración de diversos muebles con problemas habituales, similares a los que el lector, sin duda, se enfrentará. También se describe cómo restaurar objetos de caña de bambú y de mimbre, ya que estos materiales presentan problemas paralelos a los de la madera. En cualquier caso, el lector deberá discernir qué procesos son los más adecuados para su trabajo de restauración, tomar ideas y aplicar soluciones de uno o varios ejercicios.

Decoración de interiores con muebles restaurados

Durante toda la historia de la humanidad, los muebles han sido elementos muy costosos y apreciados. Pero es a partir del siglo XIX cuando la revalorización de los objetos y muebles antiguos ha llegado a su punto álgido. El valor (económico, estético, sentimental, etc.) de un objeto único realizado con maderas de calidad macizas se contrapone al valor (práctico, de diseño, económico, de innovación, etc.) del mobiliario industrial fabricado en serie con nuevos materiales.

Este escritorio restaurado decora una zona de paso. A su innegable valor estético se suma la utilidad, dado que se usa como mesa de trabajo.

Muebles para restaurar: dónde adquirirlos

Los muebles y objetos que requieren algún tipo de restauración pueden llegar a nuestras manos por caminos muy diversos. Los procedentes de herencia familiar tienen una gran carga sentimental, cualidad que nos hace apreciarlos por encima de su belleza o su valor económico. Asimismo, es posible que amigos o conocidos nos obsequien con objetos, los cuales pasarán a formar parte de nuestro entorno cotidiano recordándonos siempre a la persona que nos lo regaló. También es posible adquirir en el mercado objetos y muebles que requieren una restauración, o recuperarlos en derribos. No obstante, antes de recuperar o adquirir cualquier pieza es conveniente saber diferenciar un objeto antiguo de uno viejo. Por lo general, se considera antigüedad cualquier objeto con más de cien años y que reúne unas mínimas cualidades estéticas y materiales. También reciben esta denominación las piezas de estilos modernista y decó. En los últimos años, los objetos industriales fabricados entorno a 1950 han sido incluidos dentro de esta categoría, dado su innegable valor estético e histórico. Pero el límite entre lo antiguo y lo viejo es difuso y difícil de acotar, por ello debemos guiarnos por nuestro gusto y sensibilidad, recurriendo, si es necesario, a manuales especializados o al consejo de profesionales del sector antes de escoger una pieza.

Es posible adquirir muebles para restaurar en brocantes, que comercializan tanto con muebles y objetos antiguos (de poca entidad y de períodos recientes) como con piezas de mobiliario y objetos viejos dotados de cierto atractivo estético. También en mercados itinerantes montados al aire libre, en subastas populares o en mercadillos fijos que se celebran ciertos días de la semana se pueden adquirir muebles viejos en cualquier estado de conservación. Antes de adquirir o recuperar una pieza para restaurar, es necesario efectuar una primera inspección global para establecer su estado general, el grado de conservación de la madera y valorar el trabajo que nos llevará su restauración. Examinaremos las partes ocultas y zonas posteriores, así como los cajones, baldas y piezas movibles o mecanismos, que, de ser necesario, extraeremos para verificar su estado. Comprobaremos si su estructura es sólida, examinaremos las decoraciones, inspeccionaremos el estado general de la madera y del acabado.

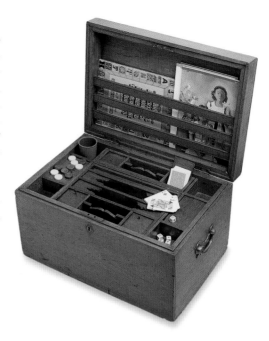

Un antiguo baúl de viaje sirve ahora para contener juegos y revistas.

La decoración de este dormitorio se basa en la combinación de mobiliario antiguo con elementos modernos. La cama reclama todo el protagonismo, enfatizado por piezas modernas: las repisas de aluminio (diseño de O. Tusquets) a modo de mesillas de noche y las lámparas.

Platero

En ciertas ocasiones, un objeto presenta un estado de conservación óptimo, si tenemos en cuenta el desgaste propio del uso y el paso del tiempo. Este platero es un buen ejemplo de ello, ya que la madera se encuentra en perfecto estado, sólo presenta una gruesa capa de mugre, resultado de su uso continuado y del posterior almacenamiento al caer en desuso. La restauración se centrará en la limpieza y la recuperación de las pátinas originales de los distintos materiales que componen el objeto: la madera y la plancha de metal.

Los muebles rústicos (como el caso de este platero) suelen estar construidos con gruesos tablones, habitualmente de pino u otras coníferas y no poseen acabado o recubrimiento de ningún tipo. Por ello es muy posible que se encuentren en buen estado, y que presenten una estructura sólida; con frecuencia, la madera sólo requiere una limpieza y un acabado final protector.

Platero rústico realizado en madera de pino y recubierto en ciertas zonas con una plancha metálica. El objeto es sólido y la madera se halla en buen estado. Se observa una capa de suciedad general, acumulada en los rincones y hendiduras, así como manchas por toda la superficie. Bajo esta capa aparece la pátina natural de la madera. La plancha metálica está compuesta por una aleación de zinc y estaño.

2- Para eliminar los restos de mugre acumulada en los rincones empleamos el bisturí o una cuchilla de punta afilada. Rascamos ligeramente en dirección opuesta a nuestro cuerpo, situando la mano libre detrás o sobre la cuchilla, si deseamos efectuar más presión. Luego eliminamos los restos con un manojo de cabos de algodón. Insistimos en los rincones de los barrotes con un fragmento de lana de acero que sostendremos con ambas manos, efectuando enérgicos movimientos de vaivén.

3- Para limpiar el metal es aconsejable emplear productos no corrosivos. La plancha de aleación de zinc y estaño tiene un recubrimiento natural que protege el metal y acentúa su calidad.
En un recipiente mezclamos aceite vegetal y trípoli hasta conseguir una pasta cremosa de aspecto fluido. El aceite no oxida el metal y lo recubre de una fina película que lo impermeabiliza; el trípoli, a su vez, arrastra las partículas de suciedad.
Confeccionamos un hisopo con un palillo de madera largo y de grosor medio al que enrollamos un fragmento de algodón en su extremo.

4- Mojamos abundantemente el extremo del hisopo en la mezcla limpiadora.
Después, lo introducimos en el recipiente que contiene el trípoli: el algodón húmedo recogerá cierta cantidad de polvo. Para limpiar con mayor suavidad ciertas zonas de la plancha que así lo requieren empleamos sólo la pasta limpiadora.

1- Para eliminar la capa de suciedad superficial sin dañar la pátina de la madera, la disolvemos con alcohol. Mojamos un manojo de lana de acero del número 00 en alcohol de 96° y frotamos enérgicamente la superficie de la madera. Es fundamental frotar siempre siguiendo el sentido de la veta; de otro modo, podríamos rayar la superficie y provocar marcas. A continuación, pasamos un manojo de cabos de algodón limpios para eliminar por completo los restos de suciedad.
Es importante encontrar el punto justo de limpieza sin eliminar la pátina, una limpieza excesiva daría como resultado una madera sin tono ni calidad, y otorgaría al mueble un aspecto deslucido y exento de autenticidad.

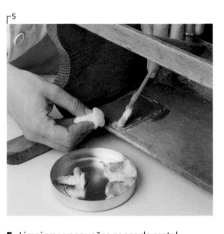

5- Limpiamos pequeñas zonas de metal frotando enérgicamente con el hisopo. El algodón recoge la suciedad de la superficie, por ello es conveniente cambiarlo a menudo por otro fragmento limpio. A continuación, eliminamos los posibles restos de pasta y polvo de trípoli pasando un algodón embebido en aceite vegetal sobre la zona limpia.

6- Iniciamos el acabado final de la madera dando una fina capa de aceite de linaza con un manojo de cabos de algodón limpios. Dejamos secar la primera capa hasta que no se pegue al tacto y damos una segunda mano. El aceite de linaza es un producto natural, no tóxico, empleado tradicionalmente en la protección de mobiliario rústico.

7- Una vez seca la segunda capa, frotamos toda la superficie de la madera con un papel de lija suave y de grano fino del número 800. Con ello conseguimos una superficie pulida, homogénea y suave, preparada para recibir las siguientes capas de aceite.

8- Damos tres capas más de aceite de linaza, dejando secar cada una antes de la siguiente aplicación. Luego pulimos la superficie frotando con lana de acero del número 0000.

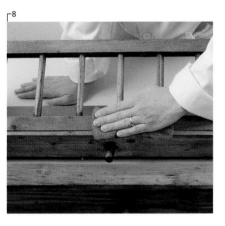

9- Debe indicarse que el aceite de linaza es autocomburente, es decir, que en ciertas condiciones ambientales puede inflamarse por sí solo, si se halla fuera de su envase. Para evitar incidentes desagradables desechamos el manojo de cabos de algodón impregnado de aceite, una vez finalizadas las diversas aplicaciones, y lo sumergimos en un recipiente con agua.

10- Finalizamos el acabado frotando enérgicamente la madera con un paño de algodón limpio para unificar el brillo de las distintas superficies. Las piezas de madera que componen el platero están cortadas de diversas maneras, por ello absorben el aceite de linaza de modo diferente. Frotando con el paño conseguimos abrillantar ciertas partes y matizar otras. Seguidamente, pasamos el paño con suavidad sobre la plancha metálica para eliminar posibles residuos de aceite.

11- Con este proceso se ha conseguido restaurar un mueble de tipo rústico que puede volver a ser utilizado. El platero puede ser empleado para el fin que fue creado, contener vajillas, o bien para decorar cualquier rincón, dada la calidez de la pátina de la madera.

Baúl

En ocasiones, un mueble que presenta un buen estado de conservación general puede manifestar en su superficie ciertos problemas. Los más usuales son la suciedad y los agujeros producidos por los insectos xilófagos. La suciedad acumulada en la superficie crea, junto con la cera envejecida, una capa mate que empaña la madera y desluce el mueble. Los insectos que habitan en la madera producen, al salir al exterior, unos orificios característicos. Éstos no representan un problema por ellos mismos, pero dan sensación de decrepitud y dejadez a la madera y afean la superficie del mueble. Este baúl es un buen ejemplo de ambos problemas.

La restauración se centrará, pues, en la eliminación de la capa de cera sucia superficial y de los posibles insectos, así como en el tapado de todos los orificios.

Baúl rústico de madera de pino tallada y teñida. Su estructura es sólida y la madera y los herrajes se hallan en buen estado. En el exterior presenta agujeros producidos por el ataque de insectos, herrumbre sobre las piezas de hierro y una capa de suciedad superficial. En su interior aparece gran cantidad de polvo y suciedad acumulada.

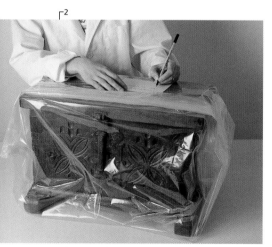

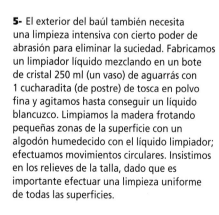

1- El paso previo a la restauración consistirá en comprobar si los agujeros son recientes y los insectos xilófagos están activos. Para eliminarlos empleamos un desinfectante líquido comercial que aplicamos en el interior de cada agujero con la ayuda de una jeringa. De esta manera, nos aseguramos de que el líquido penetre por las oberturas y las galerías y llegue hasta el interior de la madera, donde se desarrollan los insectos. Nos protegemos con guantes de látex y una mascarilla para vapores orgánicos.

2- Seguidamente situamos el baúl sobre el centro de un fragmento de plástico de polietileno de un tamaño acorde con el mueble. Confeccionamos una bolsa de desinfección uniendo los lados del plástico con cinta de precinto, procurando que no quede ningún orificio. Introducimos varias pastillas de antipolillas comercial y sellamos la bolsa. Finalmente, escribimos la fecha sobre un papel o cartulina que fijaremos sobre una de las caras exteriores de la bolsa y dejamos transcurrir 15 días.

3- Transcurrido el tiempo necesario para la desinfección, desmontamos la bolsa. Realizamos la primera limpieza eliminando el polvo acumulado en los rincones y superficies del interior, y en la parte posterior e inferior del baúl con un aspirador doméstico a la máxima potencia. Giramos el mueble e insistimos en la superficie de la base, que presenta mucha suciedad al estar en contacto con el suelo.

4- Finalizamos la limpieza del interior frotando enérgicamente la superficie de la madera con un manojo de cabos de algodón mojados en alcohol de 96° hasta conseguir eliminar por completo la capa de suciedad.

5- El exterior del baúl también necesita una limpieza intensiva con cierto poder de abrasión para eliminar la suciedad. Fabricamos un limpiador líquido mezclando en un bote de cristal 250 ml (un vaso) de aguarrás con 1 cucharadita (de postre) de tosca en polvo fina y agitamos hasta conseguir un líquido blancuzco. Limpiamos la madera frotando pequeñas zonas de la superficie con un algodón humedecido con el líquido limpiador; efectuamos movimientos circulares. Insistimos en los relieves de la talla, dado que es importante efectuar una limpieza uniforme de todas las superficies.

6- Eliminamos la herrumbre de las piezas de hierro (bocallave y refuerzos) frotando la superficie con lana de acero del número 00. Con ello conseguimos recuperar el color negro profundo y la calidad del hierro forjado.

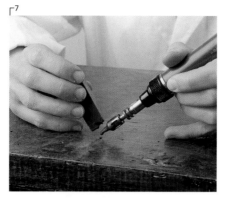

7- Para tapar los agujeros empleamos cera en barra en caliente. En primer lugar, escogemos una barra de cera sólida del mismo color que la madera. Seguidamente, encendemos el mechero manual de gas y bajamos la potencia de la llama al mínimo. Sostenemos la barra de cera con una mano sobre el orificio, aproximamos el mechero encendido en la otra, consiguiendo gotas de cera líquida que caen y se introducen en el agujero.
Pasamos el extremo del mechero para aplanar la cera, y la dejamos al mismo nivel que la superficie de la madera. Si las gotas de cera quedan fuera de los agujeros o a diferente nivel que la madera es posible eliminarlas frotando suavemente con papel de lija fino.

8- Una vez tapados los orificios de todas las superficies, enceramos el mueble. Con un manojo de cabos de algodón limpios damos una mano de cera para muebles de color neutro a todas las caras del baúl, a las superficies de madera y a los elementos de hierro. A continuación, dejamos secar completamente.

9- Frotamos la superficie de la madera con un paño de algodón o una mopa de lana para taladro eléctrico (como en este caso) en el sentido de la veta hasta conseguir un brillo uniforme profundo y satinado. Insistimos sobre las piezas de hierro, patas y moldura, que, por su propia naturaleza o situación, tienden a brillar menos.

10- El resultado de nuestro trabajo es un mueble con las superficies libres de imperfecciones donde la madera ha recobrado su esplendor original.

Mesa auxiliar

Muchas veces nos enfrentaremos a restauraciones de piezas de mobiliario que presentan partes, superficies realizadas con diferentes tipos de madera o ambas. Las distintas maderas, por su propia naturaleza, manifestarán resultados distintos al recibir el acabado final. Por este motivo, en la mayoría de ocasiones, se emplean procesos que preparan la madera y consiguen unificar las diferentes superficies. La mesa que restauramos a continuación, es un buen ejemplo de ello, ya que está fabricada con haya maciza y chapa de roble. Otro problema usual son las antiestéticas manchas que muchos muebles presentan en las patas o partes que han estado en contacto con el suelo. Acostumbran a estar producidas por la acción del agua con jabón al fregar y son difíciles de eliminar, por lo que requieren herramientas específicas.

La restauración de esta mesa auxiliar se centrará (además de recubrir imperfecciones y eliminar marcas de insectos) en unificar las distintas superficies de maderas, el acabado final de calidad y la eliminación de las manchas de las patas.

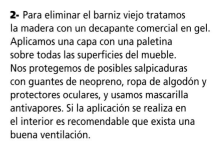

Mesa auxiliar fabricada con haya y chapa de roble. Las patas y los travesaños son de haya maciza, el tablero (también de haya) está chapeado en la parte superior con chapa de roble. El barniz que recubre la madera se halla en muy mal estado, completamente mate, oscurecido en ciertas zonas y perdido en otras. La superficie del mueble presenta orificios, resultado de la acción de los insectos xilófagos.

1- Iniciamos la restauración desmontando el mueble. Con un destornillador extraemos los tornillos que unen los travesaños de las patas al tablero. Los tornillos no son los originales del mueble y están muy oxidados. Dado su mal estado los desechamos, ya que no es adecuado reutilizarlos en el montaje final del mueble.

2- Para eliminar el barniz viejo tratamos la madera con un decapante comercial en gel. Aplicamos una capa con una paletina sobre todas las superficies del mueble. Nos protegemos de posibles salpicaduras con guantes de neopreno, ropa de algodón y protectores oculares, y usamos mascarilla antivapores. Si la aplicación se realiza en el interior es recomendable que exista una buena ventilación.

3- Dejamos actuar el decapante unos minutos hasta que el barniz se reblandezca y forme una pasta. Seguidamente, procedemos a retirarla de la parte superior del tablero, pasando la rasqueta en el sentido de la veta de la madera con una suave presión. Luego depositamos la masa de pasta sobre un papel de periódico. A continuación, pasamos un manojo de cabos de algodón empapados en disolvente. En superficies pequeñas o curvas empleamos un manojo de lana de acero del número 00 empapado en disolvente para eliminar por completo el decapante.

4- Para eliminar posibles restos de barniz aún adheridos a la superficie e imperfecciones de la madera antes de iniciar el acabado, efectuamos un lijado en profundidad del mueble. En primer lugar, lijamos el tablero chapeado y las zonas rectas frotando suavemente la madera en el sentido de la veta con un papel de lija del número 220.

5- A continuación, lijamos las partes curvas frotando la madera también en el sentido de la veta con un taco de lija de grano fino. El taco es flexible, de modo que se adaptará a los relieves de la madera.

6- La parte inferior de las patas presenta las características manchas producidas por el uso continuado y el contacto con el suelo.
Un lijado manual no es suficiente para eliminarlas, por ello empleamos el micromotor. Lijamos las partes oscuras pasando suavemente el micromotor con una punta de óxido de aluminio hasta que aparezca un color similar al resto de la pata.
Concluimos pasando un paño de algodón para eliminar pequeños restos de polvo sobre la madera.

7- Una vez eliminado por completo el barniz y con el mueble perfectamente lijado, desinfectamos la madera. Primero inyectamos con una jeringa el líquido en cada orificio. Seguidamente, damos una mano de desinfectante con un pincel sobre todas las superficies. Es recomendable usar mascarilla antivapores y guantes si nuestra piel debe entrar en contacto con este líquido.

8- Finalmente, envolvemos toda la mesa con plástico flexible. Este procedimiento tiene un efecto similar al de la bolsa de desinfección: crear un ambiente saturado de desinfectante durante un período de tiempo suficiente para conseguir la muerte de los insectos. Pegamos un papel con la fecha sobre el plástico y dejamos transcurrir 15 días.

9- Seguidamente iniciamos el acabado final del mueble. Para unificar las superficies formadas por dos tipos de madera diferentes (el roble y el haya) usamos el procedimiento denominado falsear la tosca sobre el tablero de chapa de roble. Damos una mano de tapaporos comercial con una paletina, siguiendo el sentido predominante de la veta.
Es imprescindible usar guantes de látex y mascarilla antivapores, dado que el tapaporos es bastante tóxico.

10- Rápidamente repasamos la capa de tapaporos con un paño de algodón doblado, formando un hatillo para eliminar cualquier resto de pincelada o acumulación de material. Luego dejamos secar la superficie.

11- Para concluir, lijamos la madera en el sentido predominante de la veta hasta conseguir una superficie fina y suave al tacto. Frotamos enérgicamente con un papel de lija del número 360 y pasamos un paño de algodón para eliminar el polvo.

12- Para conseguir superficies brillantes, optamos por el acabado a la goma laca. Situamos el mueble en un espacio limpio libre de polvo. Cargamos la muñequilla con goma laca y la pasamos frotando con suavidad la superficie de la madera con pequeños movimientos en forma de ochos. Paulatinamente, aumentaremos la amplitud de las pasadas hasta finalizar con movimientos en zigzag y luego con pasadas longitudinales en el sentido de la veta de la madera. Damos varias manos y dejamos secar perfectamente la goma laca.

13- Para disimular los orificios provocados por los insectos confeccionamos una cera con color similar a la madera. Mezclamos en un recipiente metálico cera virgen de abeja (la cantidad que creamos necesaria para tapar todos los agujeros) con media cucharadilla de pigmento en polvo, que en este caso es tierra de Siena natural. Calentamos la mezcla con un hornillo, removiendo hasta conseguir una pasta fluida de color uniforme.

14- Aplicamos cera tibia sobre cada orificio. Con la punta de una espátula o cucharilla recogemos un poco de cera del recipiente sobre el hornillo y dejamos caer una gota dentro del agujero.

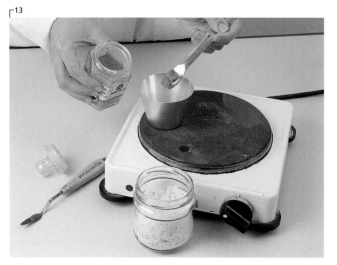

15- Seguidamente, antes de que se solidifique, pasamos una espátula de madera para alisar la superficie. La parte superior de la mitad de una pinza de madera para la ropa puede usarse como sustitutivo de la espátula, como en este caso.

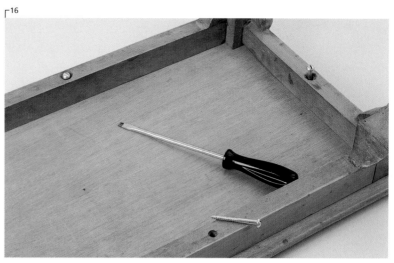

16- Finalizada esta operación montamos la mesa. Unimos las patas al tablero con tornillos nuevos, pues los originales estaban muy oxidados y habían manchado la madera.

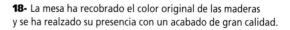

17- Finalmente, damos las últimas capas de goma laca para unificar el acabado de las distintas superficies. El brillo del acabado será mayor y más profundo al aplicar mayor número de capas de goma laca.

18- La mesa ha recobrado el color original de las maderas y se ha realzado su presencia con un acabado de gran calidad.

Silla de bambú

En ocasiones, los muebles han sufrido cambios posteriores a su fabricación. Es corriente encontrar piezas de mobiliario que han sido pintadas o barnizadas con colores oscuros una vez usadas o después de su fabricación, siguiendo el gusto y la moda del momento. Estos muebles, por lo general, se hallan en buen estado, ya que la capa de pintura o barniz ha protegido la superficie. Un buen ejemplo de ello es esta silla realizada con caña de bambú y mimbre. Estas dos fibras se han empleado a menudo en la confección de mobiliario ligero y para exterior. Ambos materiales pueden ser tratados como si fuesen de madera y, de hecho, se restauran como tal.

La restauración de esta silla se centra en la eliminación de la pintura mediante un decapado y la protección del bambú con dos capas de acabado, para restituir el aspecto original del mueble.

Silla de caña de bambú en muy buen estado pintada con varias capas de pintura al esmalte de color negro. El bambú es un material poco poroso, motivo por el cual recibe mal la pintura si no es tras una preparación previa. En este caso, la pintura se aplicó directamente sobre la caña, por ello con el uso se desprendió y aparecieron desconchones en las partes de mayor desgaste.

1- Para eliminar las gruesas capas de esmalte empleamos decapante comercial en gel. Situamos la silla en el exterior sobre caballetes y aplicamos el decapante. Empezamos dando una mano sobre una zona de la silla, en este caso las patas, los travesaños y la parte inferior del asiento. Nos protegemos con guantes de neopreno, ropa de algodón gruesa y con una mascarilla antivapores.

2- Siguiendo las instrucciones del fabricante escritas en el envase, dejamos actuar el decapante unos minutos, hasta que la capa de pintura se reblandezca y adquiera una consistencia pastosa que forme una superficie arrugada y discontinua. Seguidamente, aplicamos un chorro de agua a presión con la manguera para arrastrar parte de la pintura.

3- Eliminamos los restos de pintura adheridos a los nudos del bambú o en las partes inferiores de las patas frotando con un estropajo de cocina y humedeciendo la zona con abundante agua.

4- En los rincones del mueble es difícil eliminar la pintura con una sola mano de decapante. Debemos aplicar otra capa, insistiendo en las uniones realizadas con tiras de mimbre y en los recovecos de la caña. Luego eliminamos la pintura frotando en diferentes direcciones con un cepillo de púas vegetales y humedeciendo la zona con agua. Finalizadas estas operaciones, procedemos a decapar la otra mitad de la silla (respaldo y parte superior del asiento) siguiendo el mismo procedimiento.

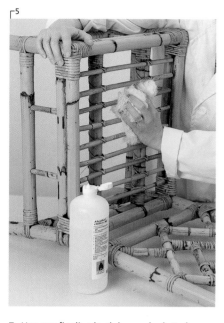

5- Una vez finalizado el decapado de todo el mueble, proseguimos nuestro trabajo en el interior. Con la silla aún húmeda, pero sin que gotee agua, aplicamos una cantidad generosa de alcohol de 96° con un manojo de cabos de algodón limpios en todas las superficies. Con ello conseguimos eliminar posibles restos de gel decapante y, a la vez, favorecer la evaporación del agua de las superficies.

6- En un bote de cristal de boca ancha mezclamos barniz al alcohol con tinte comercial también al alcohol. Las cantidades variarán según el tono que deseemos conseguir, pero recomendamos ser prudentes con el tinte y efectuar varias pruebas antes de dar la mezcla por buena. Para matizar el tono blancuzco del bambú decapado aplicamos el barniz con color con una paletina y dejamos secar. En caso de que la silla se usara en el exterior, habría que emplear un barniz para intemperie teñido siguiendo el mismo procedimiento.

7- Una vez seco el barniz, damos una mano de cera para muebles con color con un manojo de cabos de algodón para protegerlo. Siguiendo las instrucciones del fabricante en el envase, dejamos secar completamente la cera.

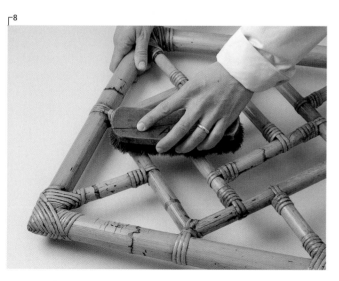

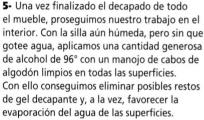

8- Abrillantamos la superficie del bambú frotando en diferentes direcciones con un cepillo suave para ropa. El resultado será un brillo profundo y satinado muy característico.

9- Como resultado de nuestro trabajo, hemos conseguido una silla que ha recobrado su atractivo aspecto original, muy en consonancia con las últimas tendencias de decoración de interiores, que propugnan el retorno a los materiales naturales.

Costurero realizado con madera de roble maciza y chapeado en la parte superior de las tapas con chapa de roble. Presenta una gruesa capa de suciedad como resultado de un encerado mal aplicado sobre una capa de barniz viejo. También presenta partes desencoladas, así como herrajes en estado precario.

1- El paso previo a la restauración consiste en desmontar el mueble. Empezamos quitando los tornillos de los travesaños que sujetan las partes movibles a la base del mueble. Los desatornillamos y separamos ordenadamente, marcándolos con etiquetas autoadhesivas numeradas según su situación en el mueble. También marcamos el interior de las bandejas con etiquetas donde figura el mismo número que el del travesaño que le corresponde. En un papel dibujamos un croquis o apuntamos el orden de la numeración.

Costurero

Con frecuencia, los muebles que se desea restaurar presentan problemas en su estructura debidos al desgaste que produce un uso continuado. Partes desencoladas, herrajes oxidados y piezas desencajadas son algunos de los problemas más habituales. Si estos problemas tienen lugar de forma simultánea, el mueble se vuelve frágil, la estructura se desencaja y deja de ser un objeto apto para el uso cotidiano.

Este costurero es un ejemplo de ello. La restauración se tendrá que centrar en el desmontaje completo del objeto y en el correcto montaje posterior, encolando, encajando, clavando o atornillando las piezas según eran originalmente.

En este caso, se ha reforzado su estructura encolando partes desencajadas y sustituyendo elementos de unión en mal estado. También se ha eliminado la capa de suciedad superficial, resultado de una desafortunada intervención posterior a su fabricación.

2- Desmontamos las patas desencoladas. Para ello sujetamos con una mano un taco grueso de madera sobre la pieza de unión entre la pata y la base del mueble, que está situada en uno de los ángulos. Acto seguido, con la otra mano, damos un golpe fuerte y seco con una maza de cabeza de nailon. La pata se desprenderá del mueble y quedará libre. El taco de madera protegerá la madera de posibles abolladuras y rayas producidas por el golpe.

3- Seguimos el proceso de desmontaje desprendiendo las bisagras de las dos bandejas superiores. Situamos una de ellas con la tapa abierta hacia nosotros y la sujetamos interponiendo una pieza de madera entre ella y nuestro cuerpo. Las bisagras están clavadas con pequeñas puntas; para desprenderlas colocamos un destornillador de cabeza fina y estrecha entre éstas y la madera. Golpeamos el mango del destornillador con el martillo a la vez que hacemos palanca.

4- Extraemos las puntas tirando de ellas con unas tenazas. Tenemos especial cuidado en no seccionarlas, ya que entonces su extracción sería muy dificultosa.

5- Para eliminar la gruesa capa de mugre que cubre todas las superficies del mueble empleamos un decapante comercial en gel. Situamos el mueble en un espacio ventilado y nos protegemos con guantes de neopreno y mascarilla antivapores. Damos una gruesa capa de decapante con una paletina sobre la superficie del mueble y luego dejamos que la capa superficial se reblandezca.

6- Retiramos la capa de pasta formada por el decapante con el barniz y la cera pasando la rasqueta en el sentido de la veta de la madera, efectuando una suave presión. Depositamos la masa sobre un papel de periódico.

7- Eliminamos los restos de decapante frotando en el sentido predominante de la veta de la madera con un manojo de lana de acero del número 00 empapada con disolvente universal.

8- Frotamos la madera con un manojo de cabos de algodón limpios empapados con alcohol de 96° hasta conseguir una superficie limpia de posibles restos de disolvente y decapante.

9- Una vez decapadas todas las superficies exteriores del mueble, limpiamos las partes interiores. Frotamos enérgicamente la madera con un manojo de lana de acero del número 00 empapada en alcohol de 96°, hasta desprender la capa de suciedad. La retiramos con un manojo de cabos de algodón.

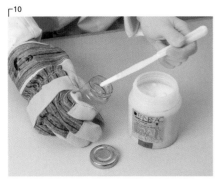

10- La parte interior de la base del costurero presenta grandes manchas de tinta que no han podido ser eliminadas con la limpieza anterior. Para sacarlas emplearemos ahora una solución de ácido oxálico con agua. Efectuamos la disolución virtiendo cierta cantidad de agua caliente (la que consideremos suficiente para cubrir generosamente las manchas) en un bote de cristal al que vamos añadiendo pequeñas cantidades de ácido oxálico a medida que removemos. La disolución estará lista cuando se halle sobresaturada, es decir, cuando el ácido oxálico precipite en el fondo del bote. Es imprescindible usar mascarilla antipolvo y guantes de látex, así como guantes de trabajo gruesos cuando se manipula el bote con agua caliente.

11- Con una paletina aplicamos generosamente la solución tibia sobre las manchas de tinta. Luego dejamos secar la superficie. El agua se evapora y el ácido oxálico queda cristalizado en la superficie formando una capa pulverulenta.

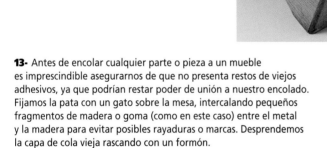

12- Retiramos los cristales de ácido oxálico frotando la superficie de la madera con un manojo de cabos de algodón limpios con abundante agua y, a continuación, dejamos secar. La aplicación de agua sobre la superficie ha levantado el repelo de la madera, por lo que frotamos con un papel de lija del número 220.

13- Antes de encolar cualquier parte o pieza a un mueble es imprescindible asegurarnos de que no presenta restos de viejos adhesivos, ya que podrían restar poder de unión a nuestro encolado. Fijamos la pata con un gato sobre la mesa, intercalando pequeños fragmentos de madera o goma (como en este caso) entre el metal y la madera para evitar posibles rayaduras o marcas. Desprendemos la capa de cola vieja rascando con un formón.

14- Otro método para extraer capas de colas antiguas consiste en reblandecer el adhesivo aplicando disolvente universal o agua o ambos. A continuación, lo eliminamos rascando con un bisturí o cuchilla afilada. Con la mano libre sujetamos la pata a la vez que guiamos la herramienta.

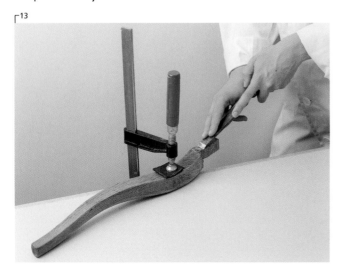

15- Para encolar las patas empleamos cola blanca de carpintero de tipo comercial. Aplicamos una capa con un pincel sobre el encaje y la pieza que va situada en la base del costurero.

16- Situamos la pata y la pieza encajándolas en la base y aprisonándolas luego con un gato. Entre el gato y la superficie del mueble disponemos una pieza de goma para prevenir posibles rayaduras y marcas. Dejamos secar la cola durante 12 horas.

17- Transcurrido este período de tiempo, iniciamos el acabado del mueble. En primer lugar, preparamos la superficie dando una mano de goma laca con una paletina.

18- Seguidamente, espolvoreamos cera en polvo sobre la superficie de la madera. A continuación, con una muñequilla impregnada de cera incolora para muebles, repartimos y hacemos penetrar la cera en polvo en la madera mediante amplios movimientos circulares.

19- Iniciamos el montaje final del mueble siguiendo el croquis o las indicaciones confeccionadas al principio del proceso de restauración. Las etiquetas numeradas serán la referencia para atornillar adecuadamente los travesaños. Empezamos montando las bandejas de un lado del mueble.

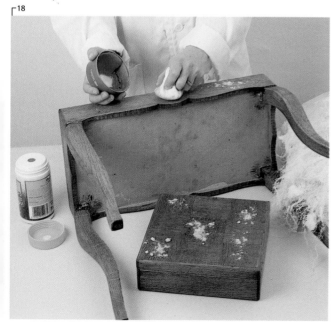

20- Continuamos montando las del otro lado y para finalizar atornillamos el asa central. Los tornillos y arandelas oxidados que podían manchar la madera han sido sustituidos por otros similares nuevos. Por la misma razón, se han cambiado las bisagras de las tapas.

21- Los tornillos y arandelas nuevos brillan y contrastan respecto a los originales, lo cual crea un efecto antiestético. Para disimular las piezas nuevas aplicamos una mezcla de goma laca con pigmento color sombra natural con un pincel de pelo de marta del número 2 para retoques.

22- El último paso consistirá en la limpieza y ensamble de los tiradores. Para limpiarlos los situamos, aprisionados, en el tornillo de banco y nos aseguramos de que encajen perfectamente intercalando pequeñas piezas de madera o pinzas para tender la ropa (como en este caso). A continuación, pasamos el micromotor montado con el accesorio para pulir metales. Finalmente, los atornillamos a los lados de las bandejas superiores.

23- Concluimos la restauración frotando con un paño de algodón hasta igualar el brillo de las distintas superficies del mueble.

24- El resultado es un costurero con la estructura muy resistente, lo que permite su uso diario. La madera de roble aparece con su color, brillo y calidad originales.

Paragüero de mimbre

Los muebles y objetos realizados con caña y mimbre presentan, habitualmente, los mismos problemas que los fabricados con madera, ya que los factores de degradación son similares. Cabe destacar los hongos y los insectos. Los hongos son un problema frecuente en las piezas fabricadas con mimbre. Este material se hincha en contacto con el agua o en presencia de humedad excesiva, provocando la rotura y el desprendimiento de partes de la pieza o la aparición de hongos. En el caso que nos ocupa, el paragüero presenta una capa de moho superficial, resultado del ataque de los hongos y el desprendimiento de la base debido a la acción del agua.

La restauración constará de varias fases: en primer lugar, se desinfectará el mimbre y se eliminará por completo el rastro de moho mediante una limpieza en seco; a continuación, se pegará la parte desprendida y, finalmente, se proporcionará un acabado que proteja la superficie del objeto.

Paragüero de mimbre en un estado de conservación regular. La base se halla separada del cuerpo, al desencolarse de éste. Las tiras de mimbre que lo forman se encuentran en buen estado, ya que no muestran roturas ni fragmentos, pero se detecta la presencia de hongos en toda su superficie.

Toda la superficie del paragüero está atacada por hongos. Su presencia se hace evidente por el color verdoso, de aspecto polvoriento, que cubre el mimbre. El ataque se acentúa en los ángulos y recovecos, sobre todo en las zonas donde se entrecruzan las tiras y en las uniones de las diferentes piezas, como las asas con el cuerpo.

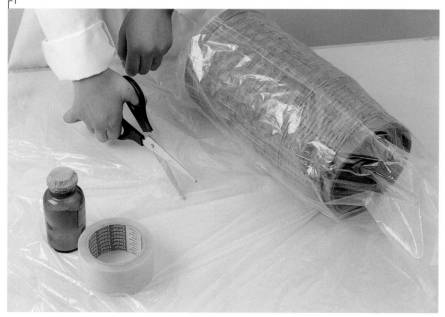

1- El primer paso consistirá en eliminar los hongos. Para ello disponemos el paragüero (cuerpo y base) sobre un fragmento de plástico de polietileno. A continuación, introducimos en el interior del cuerpo un recipiente de cristal (por ejemplo un vaso) con una pequeña cantidad de timol sólido. Seguidamente, cortamos el plástico y envolvemos el objeto, uniendo los lados con cinta de precinto, asegurándonos de que no quede ninguna abertura para confeccionar una bolsa de desinfección hermética. Para finalizar, escribimos la fecha actual sobre un papel o cartulina que fijaremos sobre una de las caras exteriores de la bolsa y dejamos transcurrir 15 días.

2- Una vez transcurrido este período de tiempo (necesario para asegurarnos la completa desaparición de los hongos), desmontamos la bolsa de desinfección. A continuación, procedemos a limpiar la superficie del mimbre eliminando el polvo, la suciedad y los restos de moho. En primer lugar, los extraemos mediante un aspirador doméstico graduado a la máxima potencia, al que acoplamos la boquilla con cepillo. Frotamos con un pincel de cerda suave en los ángulos y uniones del trenzado para desprender la capa de polvo y moho.

3- Acto seguido, efectuamos una limpieza en seco con jabón para eliminar por completo los restos de moho y suciedad. En un tarro grande de cristal con tapa efectuamos una mezcla del 75 % de agua destilada y el 25 % de jabón líquido neutro (de pH 7), en una cantidad que nunca excederá de un cuarto del volumen del recipiente. Cerramos el tarro y agitamos enérgicamente, batiéndolo hasta conseguir una gruesa capa de espuma. Introducimos un cepillo de dientes en el tarro y recogemos una pequeña cantidad de espuma. A continuación, frotamos el mimbre con él hasta eliminar la capa de suciedad.

4- Aclaramos la superficie del paragüero para retirar cualquier residuo de jabón. Humedecemos ligeramente un paño o manopla de toalla con agua destilada y frotamos el mimbre en todas direcciones, insistiendo en las uniones de las piezas y en los ángulos del trenzado.

5- Como hemos comentado, el mimbre tiende a hincharse con el agua. Procedemos, pues, a secarlo en seguida. Lo más práctico es emplear un secador de pelo doméstico graduado preferentemente a aire frío o, en su defecto, a la mínima temperatura.

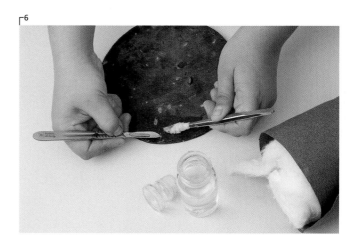

6- La base del paragüero estaba encolada al cuerpo con cola comercial de tipo universal. Es conveniente eliminar totalmente cualquier rastro de ésta antes de aplicar el nuevo adhesivo. Reblandecemos la cola con acetona, y la aplicamos con un fragmento de algodón enroscado al extremo de unas pinzas. Con un bisturí (como en este caso), una cuchilla afilada o un cuchillo corriente levantamos y desprendemos los fragmentos de cola antiguos.

7- Unimos la base encolándola con pegamento universal transparente, siguiendo las instrucciones del fabricante en el envase. Este tipo de pegamentos es reversible y fácilmente eliminable con acetona, por ello resulta muy adecuado para este tipo de restauraciones.

8- Encajamos la base sobre el cuerpo del paragüero y la fijamos efectuando presión sobre ella. Una pesa de balanza o cualquier objeto pesado servirá para presionar la pieza. Es recomendable intercalar un fragmento de papel (como en este caso), goma o madera entre el objeto y la pesa para prevenir posibles arañazos o marcas. Dejamos secar el pegamento durante 24 horas.

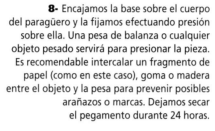

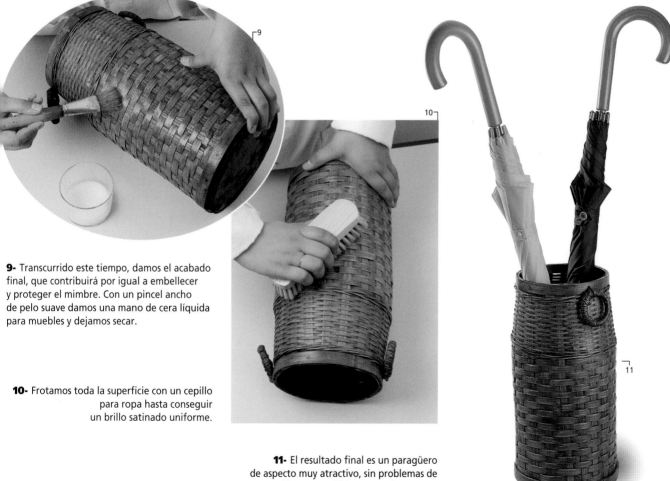

9- Transcurrido este tiempo, damos el acabado final, que contribuirá por igual a embellecer y proteger el mimbre. Con un pincel ancho de pelo suave damos una mano de cera líquida para muebles y dejamos secar.

10- Frotamos toda la superficie con un cepillo para ropa hasta conseguir un brillo satinado uniforme.

11- El resultado final es un paragüero de aspecto muy atractivo, sin problemas de conservación y muy sólido que vuelve a tener la utilidad para la que fue creado, embelleciendo, además, la entrada de la casa.

Colgador

Con frecuencia, las piezas de mobiliario y los objetos chapeados presentan roturas y pérdidas de partes de chapa. Las delgadas hojas de madera (las chapas) son extremadamente sensibles a los cambios de temperatura y a la humedad, que pueden provocar su contracción o dilatación y la consiguiente rotura. El fragmento de chapa roto acaba desprendiéndose del soporte, y si no nos damos cuenta a tiempo, se pierde para siempre. Las chapas también son muy sensibles a los golpes, en especial aquéllas situadas en los ángulos o vértices del mueble. La reparación de las zonas de chapa perdida mediante la reintegración de una nueva constituye un trabajo habitual en la restauración de objetos chapeados.

El colgador que restauramos a continuación muestra una zona donde falta la chapa. Se reparará siguiendo el procedimiento clásico; asimismo, se mostrará un proceso rápido para reintegrar chapas de lados rectos. Seguidamente, se igualará el color de la chapa nueva con la madera original. Para finalizar, se protegerá y embellecerá la madera con un acabado de calidad acorde con el estilo del objeto.

Colgador de madera de pino chapeado en nogal y con marquetería de boj. El mueble está recubierto por una capa de barniz envejecido y en muy mal estado. Esto empaña la superficie, dando como resultado una madera de un color diferente del original, sin ningún tipo de brillo ni calidad. Falta un pequeño fragmento de chapa de uno de los ángulos del colgador y se constata la presencia de numerosos orificios producidos por insectos.

1- El primer paso, imprescindible para cualquier intervención posterior, consistirá en decapar por completo el colgador. Nos protegemos con guantes largos de neopreno y mascarilla antivapores antes de manipular el decapante. Aplicamos gel decapante con ayuda de una paletina sobre toda la superficie del objeto y dejamos que se reblandezca el barniz.

2- Retiramos la pasta formada por el decapante y el barniz sobre las superficies lisas mediante una rasqueta. La depositamos sobre un fragmento de papel de periódico que sostenemos con la mano libre.

3- Para extraer la pasta depositada sobre las partes curvas usamos una espátula metálica de punta redondeada, ya que nos permite llegar a todos los rincones extrayendo de forma efectiva cualquier grueso de pasta sin arañar la madera. Al igual que antes, depositamos la pasta sobre un papel de periódico. Una vez perfectamente limpias todas las superficies, frotamos con un manojo de lana de acero del número 00 empapada en disolvente para eliminar cualquier posible resto de decapante sobre la madera.

4- Dejamos secar completamente el colgador. Acto seguido, lijamos la madera, frotando en la dirección de la veta con un manojo de lana de acero del número 00 para eliminar posibles restos y alisar la superficie. Para lijar las zonas curvas empleamos un taco de lija flexible que se adapta al relieve del objeto. Finalmente, con un paño de algodón retiramos el polvo producido al lijar.

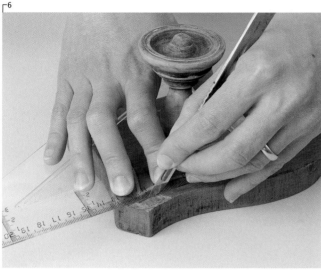

5- Observamos que los insectos no están activos. Como prevención frente a nuevos ataques, aplicamos un desinfectante comercial con ayuda de una jeringa en cada orificio para asegurarnos de que penetra en el interior de la madera. También damos una mano de desinfectante con una paletina sobre la superficie del colgador. En caso de que nuestras manos deban estar en contacto directo con el desinfectante, emplearemos guantes protectores y mascarilla antivapores.

6- A continuación, procedemos a reparar el fragmento de chapa que falta. Primero igualamos el perfil de la rotura cortando la chapa para conseguir lados rectos. El corte se efectuará de tal modo que se respete el máximo posible de madera original, seccionando la mínima superficie de chapa. A tal efecto situamos una regla sobre la superficie del colgador, y sirviéndonos de ésta como guía, cortamos el minúsculo fragmento de chapa con un bisturí o cuchilla afilada.

8- En segundo lugar, efectuamos un calco de la zona que deseamos reparar, que nos servirá de plantilla para recortar la nueva chapa. Pegamos con cinta adhesiva un fragmento de papel de calco con la cara limpia sobre la madera y situamos un papel fino sobre él. Frotando la zona con el mango de cualquier herramienta conseguimos un calco perfecto del fragmento que pretendemos. Escogemos un fragmento de chapa lo más similar posible a la madera del colgador.

7- Otro sistema para cortar la chapa igualando la superficie de la rotura consiste en efectuar un corte con la hoja de una cuchilla. Situamos la hoja perpendicular sobre la superficie de la madera y damos un golpe seco sobre la espalda de la hoja con un martillo. El fragmento de chapa se desprenderá y el corte será perfectamente liso.

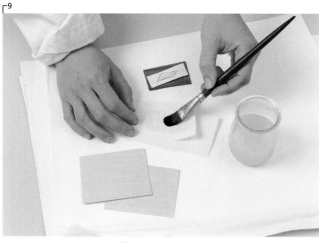

9- En tercer lugar, situamos boca arriba el papel blanco con el calco y lo pegamos con cola de conejo en caliente sobre el fragmento de chapa elegido, poniendo atención al sentido de la veta de la madera. Seguidamente, pegamos (también con cola de conejo) varios papeles en la cara inferior de la chapa. Con esta operación se rigidizará y reforzará la chapa.

10- Cortamos un par de chapas cualquiera a la misma medida que los papeles y las situamos bajo éstos. Con cinta adhesiva de papel unimos los lados de las distintas piezas, confeccionando un paquete compacto sobre el que será cómodo trabajar.

11- El siguiente paso consiste en cortar la chapa según la pauta de la plantilla. Disponemos el paquete de chapas sobre una base de madera y con el taladro manual de bolsillo al que acoplamos una broca muy fina efectuamos un pequeño orificio en uno de los vértices del calco.

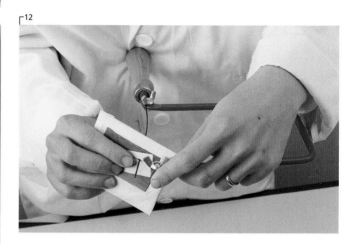

12- Escogemos una hoja fina de marquetería y la sujetamos en uno de los extremos de la sierra de calar. Introducimos la punta libre de la hoja por el orificio realizado anteriormente y la sujetamos al otro extremo de la sierra.

13- Situamos el paquete de chapas sobre un banco de trabajo o sobre dos tableros ligeramente separados y recortamos siguiendo meticulosamente los límites de la forma. Conservamos sólo el fragmento de chapa que nos interesa.

14- Para finalizar el proceso, pegamos la chapa sobre el soporte. Con un pincel mediano aplicamos cola de conejo en caliente sobre la cara de la pieza cubierta con el papel que tiene el calco y sobre el soporte.

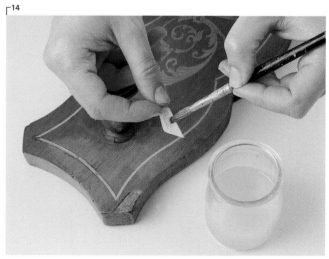

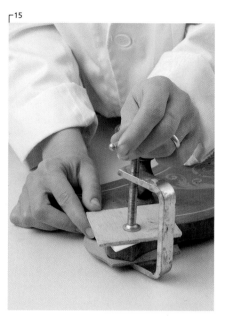

15- Situamos la chapa sobre la zona que vamos a reparar y la cubrimos con un par de fragmentos de papel limpios. Intercalamos delgados fragmentos de madera entre el colgador y el gato. Efectuamos presión sobre la chapa que vamos a encolar, cerrando fuertemente el gato. Las maderas protegen el objeto de posibles marcas o arañazos y el papel evita que la chapa nueva se pegue a las maderas si sobresale un poco de cola. Dejamos secar la cola durante 24 horas.

16- Transcurrido este tiempo desmontamos el gato y sacamos el papel que recubre la chapa nueva. Frotamos su superficie con un paño de algodón ligeramente humedecido con agua corriente, provocando el desprendimiento del papel. Luego dejamos secar por completo la zona.

17- Es posible emplear otro sistema más rápido pero igualmente eficaz para reparar chapas que faltan. Una vez realizado el calco siguiendo el proceso descrito con anterioridad, lo pegamos sobre el anverso (la cara que veremos una vez finalizado el proceso) de la chapa escogida con una fina capa de pegamento universal transparente.

18- Recortamos meticulosamente la forma con unas tijeras muy afiladas. A continuación, pegamos la chapa por el reverso (la cara sin papel) sobre el soporte con el pegamento universal y la fijamos con un gato siguiendo el procedimiento ya descrito. Dejamos secar el adhesivo durante 12 horas. Para terminar, sacamos el papel que recubre la chapa nueva frotando su superficie con un paño de algodón humedecido en acetona lo que provoca el desprendimiento del papel. Este procedimiento es muy práctico cuando la forma de la chapa presenta líneas rectas y ángulos marcados, fáciles de cortar con las tijeras.

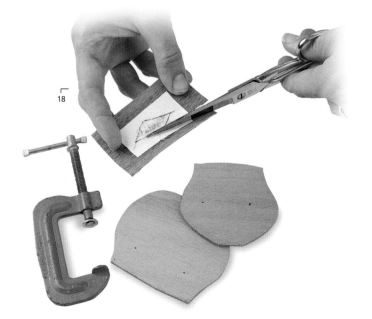

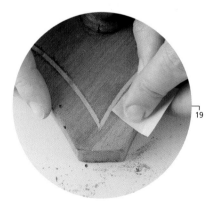

19- Lijamos en profundidad el fragmento de chapa nuevo frotándolo enérgicamente con papel de lija del número 180 hasta conseguir una superficie lisa y pulimentada apta para recibir el acabado final.

20- Antes de iniciar el acabado del colgador
hacemos una prueba para valorar el color
que tendrá la nueva chapa una vez barnizada.
Humedecemos unos cabos de algodón
con alcohol y frotamos la zona en cuestión.
Observamos la diferencia de tonalidades,
por lo que será necesario teñir la pieza nueva.

21- Para igualar
el tono de la madera
maciza de los pomos
con la chapa damos
una mano de tinte
al disolvente
comercial muy
diluido. Lo aplicamos
con un pincel plano y
pasamos un manojo
de cabos de algodón
limpios para eliminar
posibles marcas.
Luego dejamos secar
la madera.

22- Con un pincel fino de pelo suave para retoques aplicamos
el mismo tinte comercial al disolvente sin diluir sobre la chapa nueva
y dejamos secar.

23- Iniciamos el acabado aplicando goma laca, que servirá de base
al encerado posterior. En un espacio libre de polvo aplicamos
la goma laca con la muñequilla en capas sucesivas, dejándolas secar.
Las primeras se realizan mediante movimientos estrechos en forma
de ocho, para ir poco a poco aumentando la amplitud de las pasadas
hasta finalizar con movimientos en zigzag y, por último,
en sentido longitudinal.

24- Insistimos en el interior de la zona superior y en el torneado
de los pomos, que por su forma tienden a brillar menos.

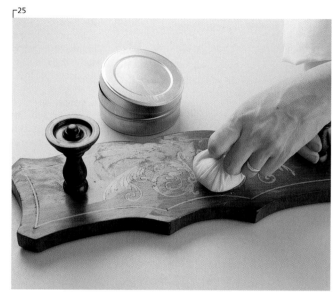

25- Seguidamente, damos una mano de cera fabricada por nosotros mismos sobre toda la superficie del colgador. Con la muñequilla la extendemos mediante movimientos circulares para asegurarnos de que penetra profundamente en la madera. Dejamos secar y frotamos con un paño de algodón limpio hasta conseguir un brillo uniforme.

26- Antes de dar la última capa de acabado disimulamos los orificios producidos por los insectos. Escogemos dos barras de laca de colores similares a las maderas del chapeado y la marquetería. Encendemos la espátula eléctrica y dejamos que se caliente. Mientras sostenemos la barra de laca con una mano sobre el agujero, aproximamos la espátula con la otra; obtendremos gotas de laca líquida que caen y tapan el orificio. Dejamos solidificar la laca y eliminamos el grueso excesivo rascando con la punta de un bisturí.

27- Concluimos el acabado espolvoreando tosca fina y cera en polvo sobre la superficie del colgador y, a continuación, frotando enérgicamente con un manojo de cabos de algodón limpios. La tosca y la cera en polvo combinadas confieren a la madera un profundo brillo.

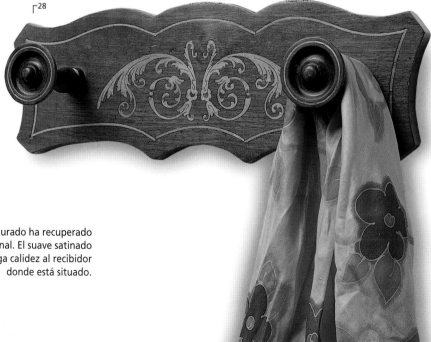

28- El colgador restaurado ha recuperado su aspecto original. El suave satinado de la madera otorga calidez al recibidor donde está situado.

Silla realizada en madera de haya teñida.
La madera se halla en buen estado, dado que
sólo presenta una capa de barniz envejecido
y algunos orificios como resultado del ataque
de insectos. El asiento tapizado es la parte en
peor estado: la tela que lo recubre está sucia,
descolorida y presenta roturas; la pasamanería
se encuentra deshilachada y la estructura
carece de firmeza.

1- El primer paso consistirá en desmontar
por completo el asiento. Arrancamos la cinta
decorativa de pasamanería y extraemos
las tachuelas que sujetan la tela, situando la
cabeza del formón entre éstas y la madera y
golpeando con un martillo hasta
desprenderlas. Seguidamente, retiramos
la tela y la desechamos.

2- Efectuamos la misma operación con la tela
de arpillera que recubre los muelles.
Con la pata de cabra extraemos las tachuelas:
agarramos la cabeza de éstas entre los salientes
de la herramienta y hacemos palanca hasta
desprenderlas. Finalmente, retiramos
y desechamos la tela.

Silla tapizada

En ocasiones, nos enfrentaremos a la
restauración de muebles tapizados. La
tapicería es un oficio complejo que requiere aprendizaje, pericia y práctica.
Sin embargo, es posible restaurar nosotros mismos muebles que tienen alguna
de sus partes tapizadas. Esta restauración
casi siempre requerirá sustituir la tela
que recubre al mueble (acostumbran a
presentar desgarros y roturas), así como

algunos elementos oxidados (muelles y
tachuelas) o rotos (arpillera). En cualquier caso, nuestra intervención siempre
respetará el sistema de tapizado original:
nunca se reemplazará un sistema de
muelles por un relleno de goma espuma,
por ejemplo.

Esta silla presenta una gruesa capa de
barniz envejecido y en muy mal estado y
un tapizado con la estructura completamente desarmada. La restauración consistirá en eliminar el barniz, sustituir la
tapicería y proporcionar un acabado final a la madera.

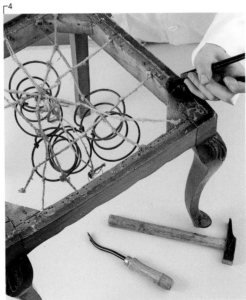

3- Para desmontar las cinchas de la parte
inferior del asiento, empleamos también
la pata de cabra. En este caso, las tachuelas
están profundamente clavadas, razón
por la cual golpeamos el extremo del mango
de la herramienta con el martillo para
introducirla entre la madera y la tachuela.
Luego cortamos el hilo que une las cinchas
a la parte inferior de los muelles.

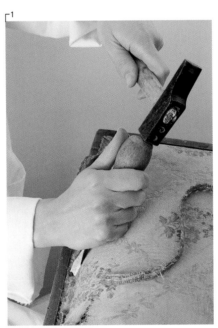

4- Desmontamos el entramado de cordel
y muelles y extraemos las tachuelas
que lo sujetan al bastidor del asiento
con unas tenazas. Desechamos las cinchas
y los muelles viejos.

5- A continuación, intervenimos sobre la madera. Primero realizamos un decapado total para eliminar la capa de barniz envejecido. Damos una mano de decapante en gel a todas las superficies con ayuda de una paletina. Nos protegemos con guantes largos de neopreno, ropa gruesa de algodón y mascarilla antivapores. Es recomendable efectuar esta operación en el exterior o en un espacio bien ventilado.

6- Dejamos transcurrir algún tiempo hasta que se reblandezca el barniz. Para retirar la pasta (de decapante y barniz) de la silla empleamos una rasqueta de pintor. Con una mano recogemos la pasta y la depositamos sobre un fragmento de papel de periódico que sujetamos con la otra mano.

7- Para eliminar la pasta de las hendiduras de los relieves y molduras empleamos unos escatadores. Esta herramienta nos permite extraer perfectamente rascando los restos de pasta de los rincones.

8- Eliminamos cualquier posible resto de decapante frotando la superficie de la madera con un manojo de lana de acero del número 00 empapado en disolvente y dejamos secar.

9- Para limpiar los restos de pasta de los relieves de talla usamos un cepillo metálico suave para piel. Frotamos enérgicamente la madera hasta que extraemos todo resto de decapante.

10- Finalizamos el proceso lijando en profundidad la superficie de la silla con papel de lija del número 180, con objeto de obtener una superficie lista para recibir el acabado final. Insistimos en las zonas con tallas y molduras, insertando el papel de lija doblado en las hendiduras y frotando con energía.

11- En algunas decoraciones talladas, el papel de lija no servirá, por lo que será necesario usar escatadores.

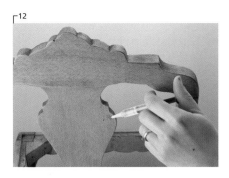

12- Los orificios producidos por los insectos no presentan ningún rastro de serrín característico, lo que nos indica que los insectos ya no se encuentran activos. A pesar de ello y como prevención, aplicamos un desinfectante líquido en los orificios, ayudándonos con una jeringa para que penetre en profundidad en la madera. En caso de que la manipulación del desinfectante requiriese el contacto con las manos, deberemos emplear guantes de protección y mascarilla antivapores.

14- Damos una mano de goma laca con una paletina y dejamos secar. Esta capa servirá de base para el recubrimiento de goma laca final.

13- El decapado y posterior lijado de la silla han eliminado el barniz color nogal que la recubría, por lo que será necesario teñirla de nuevo para devolverle su aspecto original. Empleamos un tinte al disolvente comercial del mismo color. Lo aplicamos con una paletina, extendiéndolo perfectamente sobre la madera, y a continuación, pasamos un manojo de cabos de algodón para unificar la capa de color y eliminar posibles pinceladas. Dejamos secar por completo la madera.

15- Después, aplicamos goma laca con la muñequilla. En un ambiente sin polvo administramos la goma laca en capas sucesivas, dejándolas secar. Las primeras se realizarán mediante movimientos estrechos en forma de ocho, para ir paulatinamente aumentando la amplitud de las pasadas hasta finalizar en sentido longitudinal.

16- Una vez concluido el acabado final, procedemos a tapar, disimulándolos, todos los orificios producidos por los insectos. Escogemos una cera en barra de un color similar a la madera y amasamos una pequeña cantidad entre nuestros dedos, dándole una forma cilíndrica.

17- Introducimos parte del cilindro de cera en el interior de un orificio.

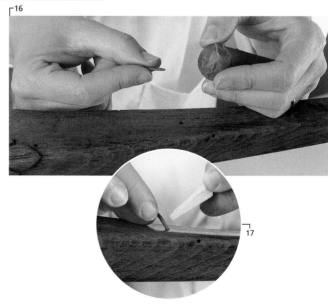

18- Con una espátula de madera o el extremo de una pinza para la ropa (como en este caso) se fragmenta el cilindro, aplanando la cera para cubrir el orificio y disimularlo en la superficie de la silla.

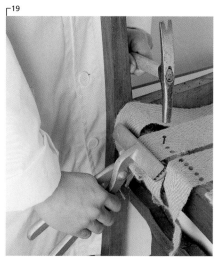

19- Finalizados los trabajos de restauración de la madera, abordamos la reforma de la tapicería, que se confeccionará con materiales nuevos, siguiendo fielmente el trabajo original. En primer lugar, realizamos la base del tapizado clavando 4 cinchas con tachuelas en la parte inferior de un lado del asiento de la silla. Seguidamente, las tensamos mediante las pinzas para tensar lienzos y las fijamos con tachuelas al lado opuesto del asiento. Efectuamos la misma operación entrecruzando 4 cinchas perpendicularmente, fijándolas en los otros dos lados libres de la parte inferior del asiento.

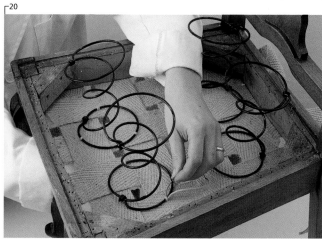

20- Disponemos 4 muelles centrados sobre la base y los cosemos a la estructura de cinchas mediante la aguja de tapicero e hilo de bramante.

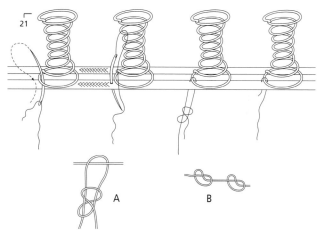

21- Cosemos los muelles a las cinchas empleando doble hilo. Introducimos la aguja por la parte inferior de la cincha y la pasamos desde el interior del muelle hacia su exterior, atravesando de nuevo la tela. Al iniciar el cosido, en el primer muelle, la atamos con un nudo de tapicero (A), que también empleamos al concluir el trabajo, ya que fija y traba perfectamente el hilo. Para el resto del cosido usamos otro tipo de nudo (B) que permite cierto movimiento de los muelles.

22- Realizamos el cosido de cada muelle en tres puntos, siguiendo el orden que indica la numeración. Este sistema permite fijarlos de forma muy efectiva.

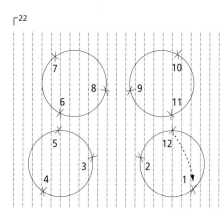

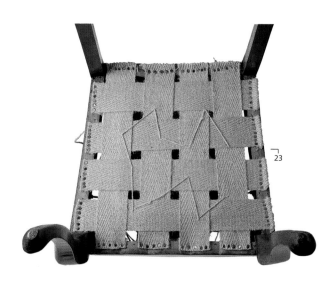

23- El entrecruzado de las cinchas y el sistema de cosido de los muelles es visible desde la parte inferior de la silla.

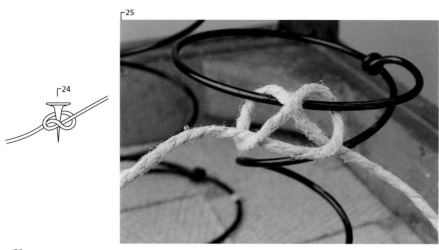

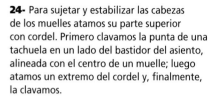

24- Para sujetar y estabilizar las cabezas de los muelles atamos su parte superior con cordel. Primero clavamos la punta de una tachuela en un lado del bastidor del asiento, alineada con el centro de un muelle; luego atamos un extremo del cordel y, finalmente, la clavamos.

25- Realizamos el primer nudo de cada muelle alineado con la cabeza de la tachuela, empleando este tipo de nudo fijo.

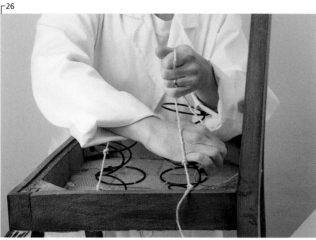

×	NUDO
⊙	LAZO
....	CUERDA

26- Presionamos el muelle verticalmente hacia abajo y tiramos del nudo; de este modo, conseguimos una atadura firme.

27- Atamos los muelles entre ellos en sentido horizontal y luego perpendicular, entrelazándolos a modo de retícula. Para atar dos muelles y en la unión de dos cordeles empleamos un nudo tipo lazo, que permite cierto movimiento para ajustar los muelles.

28- Los nudos fijos y los móviles tipo lazo permiten el movimiento y correcto ajuste de los muelles y la red o retícula de cordel para conseguir una buena base para la tapicería.

29- Para terminar, atamos el cordel a la tachuela mientras lo presionamos con firmeza tirando hacia abajo.

30- Éste es el entramado de cordeles y muelles una vez acabado nuestro trabajo.

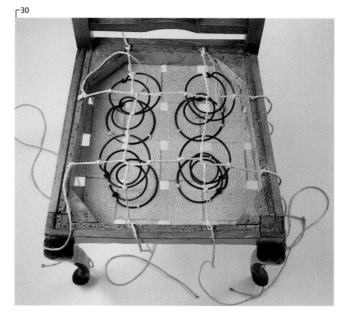

31- La manera correcta de situar los muelles es un poco divergentes entre sí (A), ya que en esta posición, cuando reciben peso quedan perfectamente verticales, efectuando todos la misma resistencia (B). Si los muelles se disponen con los extremos convergentes (C), al recibir el peso, los centrales quedan a un nivel inferior que los laterales (D), lo cual daría como resultado un asiento incómodo.

32- Seguidamente, cubrimos los muelles con tela de arpillera sujetada con tachuelas a la madera. Colocamos crin vegetal como relleno y la cubrimos también con tela de arpillera clavada con tachuelas.

33- Antes de recubrir el tapizado con la tela elegida, la presentamos sobre el asiento. Con ello nos aseguramos de que el motivo quede centrado y que las líneas discurran paralelas a los cuatro lados del asiento. Acto seguido, clavamos la tela perfectamente tensada con tachuelas al bastidor de madera.

34- Concluimos el tapizado pegando con cola universal de contacto una cinta de pasamanería para ocultar las cabezas de las tachuelas. La disponemos sobre los cuatro laterales del asiento. Protegemos la tela de posibles manchas colocando un papel limpio bajo la cinta aún por pegar.

35- El resultado de nuestra restauración ha sido la revalorización de la silla, a la que ha contribuido la nueva tapicería.

Joyero

Gran parte de los muebles y objetos que requieren una restauración están total o parcialmente chapeados o recubiertos con marquetería. Las hojas de madera utilizadas en estas técnicas son sumamente finas y muy frágiles, por lo que pueden desprenderse con facilidad, romperse y perderse, lo cual provoca lagunas de material. Este joyero presenta los dos problemas más usuales del chapeado: un fragmento despegado y la pérdida de un pequeño trozo de chapa en una zona lateral del objeto. La restauración consistirá en encolar el fragmento y reconstituir la zona de chapa perdida empleando un material diferente de la madera, pero con su mismo aspecto, en este caso la laca.

Joyero realizado en madera de caoba maciza, con aplicación de chapa de caoba y marquetería de boj. La superficie de la madera está recubierta por una gruesa capa de cera de color oscuro sobre el lacado original, lo que produce un efecto mate. La chapa de diversas zonas se ha despegado y se halla levantada, siendo susceptible de romperse, y perderse para siempre. En un lado de la tapa falta un pequeño trozo de chapa.

El interior del joyero se halla en buen estado: las bisagras y la cerradura funcionan de forma correcta y no presentan restos de óxido, el espejo y el terciopelo que recubre la parte inferior están firmemente fijados a la madera y la bandeja extraíble no tiene ninguna pieza despegada o rota, sólo presenta una gruesa capa de suciedad.

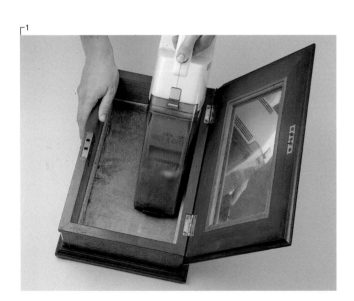

1- Iniciamos la restauración efectuando una limpieza en profundidad de las superficies del objeto; empezamos por el interior y finalizamos en el exterior. Primero eliminamos el polvo depositado sobre el terciopelo pasando un aspirador portátil graduado a la máxima potencia. Después, limpiamos el cristal con un limpiacristales comercial, poniendo atención en no salpicar la madera.

2- Para limpiar las superficies de madera recurrimos a un reparador de madera líquido comercial transparente. Su uso nos permite efectuar una limpieza muy suave y proteger la madera a la vez. Empapamos un algodón con reparador y frotamos suavemente la superficie de la madera hasta eliminar la capa de polvo. Para limpiar el interior de la bandeja extraíble empleamos unas pinzas para sujetar el algodón, lo que nos permite llegar eficazmente a todos los rincones y limpiar las superficies verticales.

3- Una vez finalizada la limpieza de los diferentes materiales del interior del joyero, iniciamos la limpieza del exterior. Fabricamos un limpiador mezclando en un recipiente de boca ancha agua destilada y tosca finamente molida, que añadimos a medida que removemos, hasta conseguir una pasta espesa. Limpiamos la madera frotando enérgicamente pequeñas zonas de la superficie con un algodón empapado con el limpiador; efectuamos con él movimientos circulares. A continuación, con otro algodón limpio retiramos los posibles restos de limpiador depositados sobre la madera.

4- En las molduras, por su propia estructura compuesta de entrantes y salientes, es donde se suele acumular mayor cantidad de suciedad; así pues, requerirán una limpieza específica. Fabricamos un hisopo enrollando un fragmento de algodón al extremo de un pincel muy fino; cuanto más fino sea mejor se introducirá entre las molduras. Humedecemos el extremo con algodón en la mezcla limpiadora y frotamos las molduras en sentido longitudinal, insistiendo en los entrantes. Con otro fragmento de algodón limpio eliminamos posibles restos de limpiador.

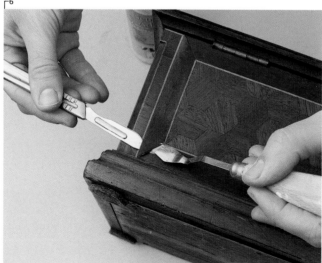

5- Para fijar las zonas de chapa levantada empleamos cola de acetato de polivinilo (PVA) neutra. La chapa de madera es extremadamente fina y muy frágil, de modo que la encolaremos con especial cuidado. Para disponer el acetato de polivinilo bajo la chapa usamos una pequeña espátula metálica, sobre el dorso de la cual dejamos caer un par de gotas de adhesivo.

6- Con ayuda de un bisturí levantamos con cuidado la chapa. Introducimos la espátula bajo la madera y distribuimos la cola por toda la superficie.

7- Fijamos la chapa con ayuda de un gato, el cual disponemos sobre la zona que deseamos pegar, intercalando un fragmento de papel bajo un trozo de madera entre éste y el joyero. Luego lo fijamos a la parte inferior del joyero, intercalando también un trozo de madera. Los fragmentos de madera protegerán la superficie de posibles marcas provocadas por el gato. Intercalamos papel para evitar que la madera se pegue sobre el joyero, ya que es posible que sobresalga parte de la cola por efecto de la presión. Dejamos secar la cola durante 24 horas y extraemos el gato.

8- Un lateral de la tapa carece de un pequeño trozo de chapa. La zona es demasiado pequeña para ser reparada mediante la adición de una nueva chapa, por lo que se reconstruirá con laca. Primero escogemos una barra de laca de color similar a la madera del joyero. Seguidamente, encendemos la espátula eléctrica. Mientras sostenemos la barra de laca con una mano sobre la zona en cuestión, aproximamos la espátula con la otra; de este modo, conseguimos gotas de laca líquida que caen y recubren la zona.

9- Dejamos que la laca solidifique por completo. Después, eliminamos el material sobrante raspando con un bisturí hasta nivelar la zona de laca con la madera. Esta operación requiere pericia, ya que cualquier error podría provocar desperfectos en la superficie de la madera.

10- La madera que se empleó en la fabricación de este joyero es de gran calidad. El acabado final tendrá que estar en consonancia con la categoría de la madera y con el acabado original del objeto, por ello optamos por la goma laca. Situamos el joyero en un espacio limpio libre de polvo. Cargamos la muñequilla con goma laca, dejamos caer un par de gotas de vaselina líquida sobre su superficie y la pasamos frotando suavemente la superficie de la madera con pequeños movimientos en forma de ocho. Paulatinamente, aumentamos la amplitud de las pasadas hasta finalizar con pasadas longitudinales en el sentido de la veta de la madera. Damos varias manos y dejamos secar. La vaselina permite el desplazamiento de la muñequilla, lo cual facilita nuestro trabajo.

11- El joyero, una vez restaurado, luce los tonos originales de la madera de caoba y de la marquetería. El juego de colores le otorga un sentido eminentemente decorativo.

Escritorio

Los muebles fabricados con madera maciza, por lo general, presentan problemas muy definidos. La rotura de partes, los golpes y la pérdida de elementos son los más usuales. Por ello, los trabajos de restauración requerirán, en primer lugar, la fijación de las partes desprendidas. Dependiendo de su función, decorativa o estructural, se empleará el sistema más adecuado. También es posible que la restauración requiera reparar abolladuras, arañazos o agujeros resultado de golpes. Finalmente, la reposición de elementos perdidos (por lo común, molduras y demás elementos decorativos) por piezas nuevas es uno de los trabajos más usuales.

La restauración de este escritorio se centrará en limpiar las superficies en mal estado y que presentan algún tipo de mancha, así como los herrajes, en reparar las partes desprendidas y una abolladura y en añadir un fragmento de moldura nuevo.

Escritorio fabricado en nogal macizo con marquetería de boj y herrajes de bronce. El mueble presenta una estructura muy sólida y las superficies exteriores se hallan, en conjunto, en buen estado. Se aprecia una pequeña abolladura en un lateral, una pieza de un ángulo del zócalo desencolada y otra de la misma zona perdida.

Al examinar el interior del escritorio comprobamos que todos los cajones se encuentran en buen estado, se deslizan y cierran perfectamente y que la tapa del escritorio funciona sin ningún problema. Sólo advertimos una gran mancha de tinta en un compartimiento y un par de piezas decorativas despegadas.

El acabado exterior del mueble es el que presenta peor estado. Fue lacado a mano, un tipo de recubrimiento de gran calidad, pero frágil y poco resistente a los golpes y arañazos. Por esta razón, el exterior, sobre todo la parte superior, muestra un aspecto deplorable.

1- El paso previo a cualquier intervención consistirá en desmontar la tapa y extraer los cajones (interiores y exteriores), que se numerarán de forma ordenada. Seguidamente, desmontamos los herrajes con un destornillador de cabeza pequeña. Los numeramos y los guardamos en paquetes individuales junto con sus tornillos.

2- Iniciamos el proceso de restauración decapando la parte exterior del mueble. El disolvente de la laca es el alcohol común de 96°, por ello lo emplearemos como decapante. Aplicamos abundante alcohol con ayuda de una paletina sobre una determinada zona de la madera.

3- A continuación, frotamos la zona que deseamos decapar con un manojo de lana de acero del número 00 para extraer la capa de laca en mal estado. Finalizamos pasando un manojo de cabos de algodón limpios.

4- Observamos algunos orificios producidos por insectos que no parecen activos. Como medida preventiva aplicamos desinfectante con una jeringa en cada agujero del escritorio. Nos protegemos con una mascarilla antivapores y guantes si nuestra piel entrase en contacto con el desinfectante.

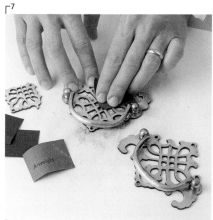

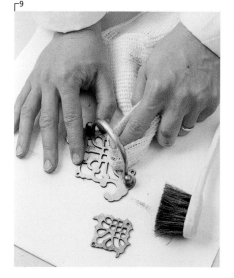

5- Procedemos a limpiar los elementos desmontados y las partes del mueble que lo requieren. Empezamos por los herrajes: frotamos enérgicamente todas las superficies con un cepillo metálico para piel desprendiendo el óxido y la suciedad superficial.

6- A continuación, para eliminar la capa de suciedad adherida al bronce humedecemos la pieza con alcohol, y frotamos con el cepillo metálico hasta conseguir una superficie limpia.

7- Finalizamos la limpieza bruñendo las superficies de los herrajes; frotamos con un papel de lija del número 360.

8- Con este proceso hemos conseguido un bronce perfectamente limpio, pero muy sensible a la oxidación, ya que carece de capa protectora; por este motivo, decidimos aplicar una mano de cera. En un recipiente de cristal mezclamos unos 250 cc (un vaso) de cera líquida incolora con una cucharadita de las de café con betún de Judea. La aplicamos con ayuda de una paletina y dejamos secar.

9- Frotamos la superficie de los herrajes con un paño de algodón limpio para eliminar posibles restos o gruesos de cera y conseguir una superficie homogénea.

10- Finalmente, frotamos el bronce con un cepillo de pelo suave para proporcionar un brillo satinado.

11- Abordamos ahora la gran mancha de tinta que afea uno de los compartimientos interiores. Para eliminarla emplearemos un decolorante muy potente, el agua oxigenada. En un recipiente de plástico grueso con tapa de rosca mezclamos 10 cc de agua oxigenada concentrada (al 30 % p/v o de 110 vols.) con 2 gotas de amoníaco y lo cerramos. El amoníaco aumentará el poder decolorante del agua oxigenada. Seguidamente, fabricamos un hisopo enrollando un fragmento de algodón al extremo de un palo no muy grueso de madera. Humedecemos el extremo con algodón en el decolorante y lo aplicamos con suaves toques sobre la mancha hasta que la tinta empiece a desaparecer; luego dejamos secar. Es esencial mantener siempre el bote perfectamente cerrado, ya que los dos componentes, el agua oxigenada y el amoníaco, son en extremo volátiles y la mezcla podría perder su efectividad. Cualquier manipulación del decolorante requiere el uso de guantes de látex.

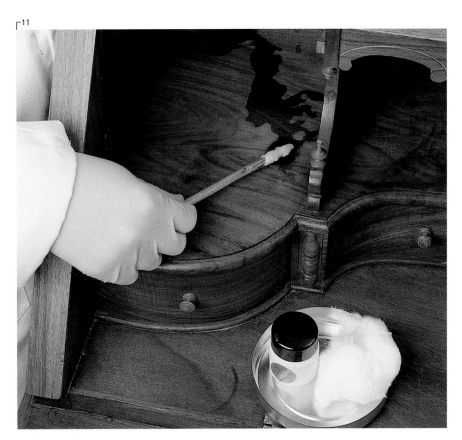

12- Una vez seca la madera y después de comprobar la desaparición total de la tinta, neutralizamos la acción del agua oxigenada frotando repetidamente la madera con un algodón impregnado en abundante agua corriente y dejamos secar.

13- El agua levanta el repelo de la madera. Para eliminarlo efectuamos un lijado de la zona frotando enérgicamente la madera con una lija del número 240. A continuación, limpiamos el interior del compartimento con un paño de algodón para eliminar posibles restos de serrín.

14- Concluimos este proceso restituyendo el acabado de la madera: aplicamos goma laca con una paletina sobre la zona tratada. La madera no está teñida, por lo que esta aplicación devolverá al tono original del recubrimiento.

15- Un lateral del escritorio presenta una pequeña abolladura producida, sin duda, por un golpe. Para repararla empleamos un procedimiento muy sencillo que sólo requiere usar agua y calor, pero que debe realizarse con gran rapidez, ya que de otro modo podría perjudicar la madera. Primero frotamos la superficie de la abolladura con un algodón empapado en agua, mojando abundantemente la madera.

16- Rápidamente aplicamos un paño doblado de algodón limpio empapado en agua corriente sobre la zona. Situamos sobre el paño la espátula caliente graduada a la máxima intensidad y, efectuando una gran presión, la desplazamos siguiendo el sentido de la abolladura. Para realizar esta operación también es posible utilizar una plancha doméstica de viaje sin vapor.

17- Retiramos el paño y comprobamos que ha desaparecido la abolladura. Para activar la evaporación del agua de la superficie de la madera aplicamos alcohol con un manojo de cabos de algodón limpios. Luego dejamos secar.

18- La acción del agua ha levantado el repelo de la madera. Para eliminarlo lijamos la zona frotando en el sentido de la veta de la madera con una lija del número 240.

19- Seguidamente fijamos las partes desprendidas y desencajadas, añadiendo la pieza que falta. En primer lugar, unimos el remate torneado a su base con pegamento instantáneo de cianocrilato. Este tipo de pegamento sólo es adecuado para fijar detalles ya que no permite cambios o ajustes de último momento.

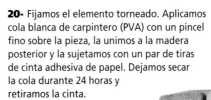

20- Fijamos el elemento torneado. Aplicamos cola blanca de carpintero (PVA) con un pincel fino sobre la pieza, la unimos a la madera posterior y la sujetamos con un par de tiras de cinta adhesiva de papel. Dejamos secar la cola durante 24 horas y retiramos la cinta.

21- Una de las patas frontales del escritorio tiene diversas partes desencajadas y carece de moldura central superior. Primero desmontamos las partes desencajadas: situamos una cuña de madera en el espacio entre el mueble y la pieza, y a continuación damos varios golpes secos con una maza de nailon en el extremo opuesto. La pieza cede y se desprende de la superficie del mueble.

22- Una vez desmontadas las dos piezas observamos que están atravesadas por dos clavos, los cuales es imprescindible eliminar antes de encolarlas de modo definitivo. Sacamos los clavos golpeando la punta con un martillo hasta dejarla al mismo nivel que la madera.

23- Los extraemos aprisionando la cabeza con las tenazas y tiramos con fuerza mientras efectuamos un movimiento de palanca. Para proteger la pieza de posibles arañazos intercalamos un fragmento de madera o, como en este caso, un par de fragmentos de pinzas para la ropa.

24- Con un pincel grueso aplicamos cola fuerte caliente sobre las superficies que se fijarán sobre el mueble.

25- Disponemos las piezas en su lugar y las fijamos con varios gatos. Intercalamos delgados fragmentos de madera para prevenir posibles marcas sobre la madera. También situamos cuñas entre el mueble y el extremo del gato para salvar las diferencias de nivel entre las diversas partes que componen la pata. Dejamos secar la cola durante 24 horas y desmontamos los gatos.

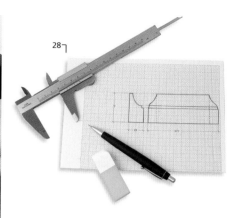

26- La moldura de la parte central de la pata ha desaparecido, por lo que será necesario añadir una nueva, que deberá seguir la forma de las laterales. Para adquirir en el mercado o encargar la confección de una moldura es imprescindible hacerse con una muestra o confeccionar una plantilla que servirá de modelo.

27- Tomamos las medidas de todas las partes de la moldura con el pie de rey. Deberán ser muy exactas, ya que cualquier desajuste podría variar notablemente el perfil de la moldura.

28- Trasladamos cada medida con el pie de rey sobre un papel milimetrado y dibujamos el perfil, donde anotamos las medidas totales de la pieza. Prolongamos las líneas del perfil para conseguir un dibujo frontal, en el que también anotaremos la medida total.

29- Un carpintero ha realizado esta moldura con una madera similar a la del mueble. La encolamos con cola fuerte y la sujetamos con sargentos (siguiendo el proceso descrito anteriormente) durante 24 horas. El resultado es una pieza que se integra perfectamente en el zócalo del mueble.

30- La moldura presenta el color de la madera nueva, por lo que será necesario unificarlo con la madera original del mueble; para ello lo teñiremos. Lijamos su superficie frotando enérgicamente con un papel de lija del número 240. A continuación, aplicamos con un pincel mediano tinte al agua comercial de color nogal y dejamos que seque por completo. Por acción del disolvente del tinte (el agua) se ha levantado el repelo de la madera. Para eliminarlo frotamos la moldura con estropajo vegetal.

31- Para proporcionar el acabado final espolvoreamos tosca fina con ayuda de una cucharilla o espátula sobre la superficie de la madera.

32-

33-

34-

32- Con un paño de algodón limpio frotamos la superficie en el sentido de la veta de la madera. Con ello distribuimos de forma homogénea la tosca y logramos que penetre por igual en toda la superficie de la madera.

33- Recuperamos el acabado original del mueble, a la goma laca. La aplicamos con la muñequilla en capas sucesivas que dejamos secar. Las primeras las realizamos mediante movimientos estrechos en forma de ocho. Progresivamente, aumentamos la amplitud de las pasadas. A mayor número de pasadas más profundo será el brillo resultante.

34- Damos la última pasada efectuando movimientos longitudinales en el sentido de la veta de la madera.

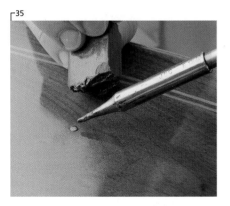

35-

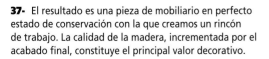

36

35- Para terminar, disimulamos los orificios. Escogemos una barra de laca de color nogal. Mientras sostenemos la barra de laca con una mano sobre el agujero, aproximamos la espátula con la otra; así conseguimos gotas de laca líquida que tapan el orificio. Si el grueso de la gota fuera excesivo, lo eliminamos rascando con gran cuidado con la punta de un bisturí.

36- Montamos las partes extraídas al iniciar el proceso, la tapa y los herrajes, y colocamos los cajones según el orden establecido.

37

37- El resultado es una pieza de mobiliario en perfecto estado de conservación con la que creamos un rincón de trabajo. La calidad de la madera, incrementada por el acabado final, constituye el principal valor decorativo.

5 Renovación

La renovación de objetos o muebles de madera, a diferencia de la restauración, no requiere, por lo general, procesos muy definidos. En los trabajos de renovación influirá tanto el estado del objeto como nuestra imaginación y destreza. La renovación nos abre un amplio abanico de posibilidades donde podremos llevar a la práctica infinidad de soluciones y composiciones, tantas como nuestra imaginación nos permita. El añadido de elementos o piezas y los acabados de la madera constituirán los aspectos en que será posible idear y realizar soluciones especiales, donde daremos nuestro toque personal. Las múltiples posibilidades de la renovación permitirán desde actualizar sólo el aspecto externo de un mueble hasta transformarlo por completo y cambiar su uso. El lector podrá escoger, entre los numerosos recursos que ofrecen los ejercicios de este capítulo, los más adecuados para desarrollar sus propios trabajos de renovación.

Decoración de interiores con muebles renovados

Los muebles y objetos viejos poseen cualidades particulares que los hacen muy especiales. Su aspecto evoca nuestro pasado, y tienen para nosotros un gran valor sentimental, que supera incluso el económico. La calidad de los materiales empleados, que acostumbran a ser macizos, así como el trabajo artesanal dan como resultado un objeto o mueble único e irrepetible con un aire de pieza vivida en contraposición con cualquier objeto contemporáneo.

Muebles para renovar. Dónde recuperarlos y adquirirlos

La renovación, a diferencia de la restauración, se basa en la adecuación y transformación de muebles u objetos viejos de menor entidad que los empleados para restaurar. Consideramos que un objeto o pieza de mobiliario es vieja cuando tiene menos de cien años y su estilo no es modernista o decó. Valoramos, por encima de todo, su belleza y el material empleado en su construcción. También tenemos en cuenta las posibilidades que nos ofrece para transformar su aspecto, estructura o utilidad de acuerdo con nuestros recursos y pericia técnica. El límite de la intervención sobre el mueble u objeto lo marcará nuestra creatividad, que nos ayudará a conseguir soluciones personales, únicas e innovadoras.

Las piezas de mobiliario viejas se pueden adquirir o recuperar. Sin embargo, los muebles u objetos abandonados o procedentes de derribo requieren una paciente investigación antes de valorar sus posibilidades. Es posible recuperar algunas piezas en los derribos de fincas y en los puntos de recogida de mobiliario en desuso de nuestro lugar de residencia. La adquisición de objetos o muebles viejos en cualquier estado de conservación se puede realizar en mercados itinerantes al aire libre, en subastas populares o directamente a mayoristas. Algunos mayoristas realizan en diversas localidades cercanas a las grandes urbes ventas directas a pie de camión, donde es posible adquirir lotes enteros o piezas al detalle. Antes de recuperar o adquirir cualquier mueble u objeto hay que inspeccionarlo en su globalidad para establecer su estado de conservación general y sus posibilidades de renovación. Nunca adquiriremos o recuperaremos ninguna pieza que no ofrezca una garantía total de solidez y no tenga posibilidades de transformación. La inspección se centrará en la valoración de la estructura (si es sólida), los elementos (cajones, baldas, cristales, tiradores...) y el material (aspecto de la madera e indicios de insectos). Finalmente, tendremos en cuenta el precio, así como el tiempo y el esfuerzo que requerirá el proceso de renovación en relación con la calidad del mueble.

Gracias a la decoración pictórica, un viejo baúl en desuso sirve ahora como mueble auxiliar.

Crear ambientes con objetos y muebles renovados

Los muebles y objetos, una vez renovados, pasarán a formar parte de la decoración de cualquier espacio de nuestra casa. Por lo general, a diferencia de los muebles restaurados, las piezas de mobiliario renovadas tienen un aire único íntimamente ligado a la personalidad de quien realizó la intervención. El aspecto fundamental que conviene tener en cuenta en cualquier proceso de renovación es la creatividad de la persona que lo realiza, ya que los límites sólo están acotados por aspectos técnicos. Por esta razón, las soluciones adoptadas serán siempre únicas y sorprendentes. Cualquier objeto o mueble renovado aportará una sensación especial de pieza única e irrepetible en la decoración de nuestro hogar. Con este tipo de piezas es posible crear espacios informales con un aspecto fresco e innovador muy en consonancia con las últimas tendencias. También es posible renovar por completo con un solo mueble u objeto el aspecto de habitaciones consideradas tradicionalmente serias, como la cocina o el baño, dándoles nuestro toque personal.

El decapado de elementos de cierre de puertas y ventanas recuperando la madera original es una solución para revalorizar interiores.

Esta bandeja decorada con un trampantojo pintado es el resultado de la renovación de la puerta de un armario.

Cómoda

En muchas ocasiones, se aborda la renovación de una pieza de mobiliario que se encuentra en buen estado, pero cuyo exterior presenta un aspecto deslucido, pasado de moda o muy disonante con la decoración del espacio donde va destinado. Aquí, una renovación a fondo combinando distintos materiales sobre las diferentes superficies y elementos del mueble es lo más indicado. La sustitución de piezas auxiliares como pomos, tiradores y molduras es un recurso poco costoso y fácil que contribuye a cambiar completamente el aspecto del mueble. La decoración pictórica es el procedimiento más adecuado para cambiar de forma drástica el aspecto de las superficies, siempre que no se hallen en pésimo estado. En este caso, se ha actualizado el exterior del mueble, dejando su estructura e interiores intactos, ya que presentaba un estado francamente bueno. Una cómoda recubierta por una pintura envejecida y sin ningún valor especial ha sido transformada en una cómoda vistosa y alegre, ideal para decorar una habitación infantil.

Cómoda realizada en madera de pino con elementos fabricados con conglomerado. Ambos materiales son de baja calidad, por ello la estructura no es muy elaborada y las superficies tienen un aspecto sencillo. El mueble fue pintado con esmalte de color blanco. La estructura de la cómoda y los cajones se hallan en un estado excelente. La pintura que recubre las superficies se ha tornado amarillenta con el paso del tiempo.

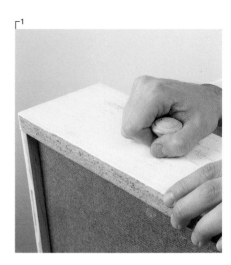

1- El primer paso consistirá en extraer los pomos, que luego desecharemos. En este caso, los pomos están encajados en la parte frontal del cajón; los sacamos fácilmente tirando hacia el exterior con fuerza. Si alguno de ellos ofrece resistencia, golpearemos el encaje del pomo desde la parte interior del cajón con un fragmento de madera o cualquier herramienta de diámetro similar a la mecha del pomo y un martillo hasta desprenderlo.

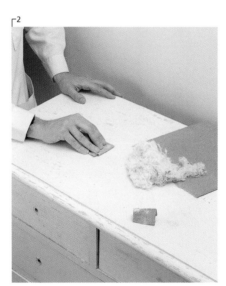

2- Iniciamos los trabajos lijando todas las superficies exteriores de la cómoda con un papel de lija del número 4. Ello servirá para eliminar gruesos de pintura vieja y preparará la madera para recibir el nuevo recubrimiento. Finalizado el proceso, retiramos el polvo y los restos de pintura pasando un paño o un manojo de cabos de algodón.

3- Efectuamos el mismo proceso de lijado en el interior de los travesaños y de los dos montantes frontales hasta conseguir unas superficies libres de pintura vieja, lisas y pulidas, aptas para ser pintadas de nuevo.

4- Seguidamente, recortamos las patas frontales de la cómoda, ya que serán sustituidas por otras más acordes con la decoración. Primero giramos el mueble hacia abajo, asegurándonos de que queda perfectamente estable sobre el suelo. A continuación, sujetamos con firmeza el extremo de la pieza con una mano y cortamos la pata a ras del montante. Empleamos la sierra de costilla, situada perpendicular al montante.

5- Empezamos la decoración pintando la superficie del mueble con dos colores a juego con la cenefa plástica que decorará los cajones. Sacamos éstos y aplicamos con una paletina una mano de esmalte comercial de color turquesa sobre todas las superficies de la cómoda a excepción del tablero superior.

6- Pintamos, también con una paletina, la parte superior del tablero con esmalte comercial color manzana.

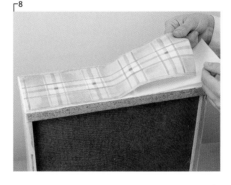

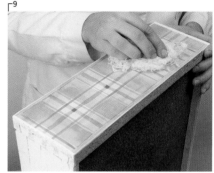

7- Pintamos las zonas inferiores y los bordes redondeados del tablero con un pincel grueso de punta cuadrada y dejamos secar.

8- Decoramos los cajones aplicando una cenefa plástica autoadhesiva. El paso previo consiste en medir los cajones y escoger una cenefa con un ancho similar. Luego medimos la longitud de cada cajón y cortamos un fragmento de cenefa a la medida. Hay que recortarla de manera que el motivo quede centrado y simétrico respecto del centro del cajón. Para pegar la cenefa retiramos una pequeña parte del papel protector posterior de uno de los extremos y la situamos cerca del borde del cajón, presionando con la mano. Después, tiramos lentamente del papel protector con la otra, y la fijamos sobre el frontal del cajón.

9- Finalizado el pegado, eliminamos posibles burbujas de aire frotando con energía la superficie de la cenefa desde el centro hacia los extremos con la palma de la mano o con un manojo de cabos de algodón. Algunas cenefas autoadhesivas se pueden despegar y volver a pegar durante los 10 minutos siguientes a su colocación, lo que permite subsanar cualquier fallo o equivocación.

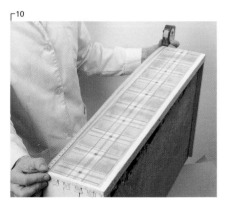

10- Remataremos la cenefa enmarcándola con una moldura, que otorgará calidad y hará más atractiva la decoración de los cajones. Medimos los cuatro lados de la parte frontal de un cajón y anotamos las medidas.

11- Se ha escogido una moldura en forma de media caña de madera de pino. Para enmarcar el motivo central uniendo perfectamente las diferentes partes de moldura cortaremos los ángulos a 45° con ayuda de la caja de ingletes.

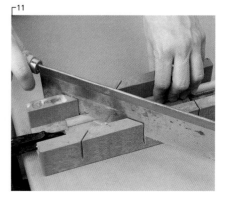

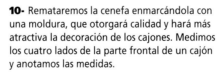

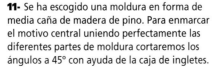

12- Presentamos los cuatro fragmentos de moldura sobre el cajón para comprobar que casan perfectamente entre ellos. Luego los fijamos a la superficie del cajón clavando cada parte con dos puntas.

13- Para disimular la cabeza de las puntas las embutimos con el botador. Lo situamos perpendicular sobre la cabeza de la punta y golpeamos el extremo opuesto con un martillo hasta que el metal quede a un nivel ligeramente inferior a la superficie de la madera.

14- Rellenamos los orificios tapando las cabezas de las puntas con cera dura. Escogemos una barra de cera de un color acorde con la madera de la moldura, pellizcamos con la mano una pequeña cantidad y la amasamos entre nuestros dedos hasta conseguir un cilindro afilado. Introducimos el extremo en el orificio y aplanamos la cera con una espátula de madera, evitando así posibles marcas o rayadas.

15- Se han adquirido unos pomos de la misma madera y con una forma en consonancia con el perfil de las molduras. La gran mayoría de los pomos comerciales se unen a la madera mediante un tornillo, lo cual simplifica su aplicación. Para colocar el pomo, en primer lugar efectuamos con una cuchilla afilada una pequeña incisión en el plástico en la zona del agujero resultado de la extracción de los pomos viejos. Luego pasamos el tornillo desde la parte interior del cajón por la incisión y lo unimos al pomo nuevo, atornillándolo.

16- Para proteger los elementos de madera (molduras y pomos) aplicamos barniz sintético brillante incoloro. Damos varias capas, dejando secar perfectamente la superficie cada vez, con un pincel redondo mediano.

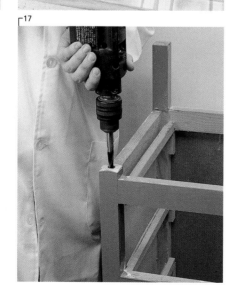

17- En el comercio se han adquirido dos patas torneadas a juego con los pomos y las molduras para sustituir las antiguas, que se han cortado. Para unirlas al armazón del mueble será necesario efectuar un agujero en cada montante donde se introducirá la mecha de la pata. Con un pie de rey medimos el diámetro de la mecha de la nueva pata y escogemos una broca similar. Giramos el mueble hacia abajo, asegurándonos de que queda estable sobre el suelo. Situamos el taladro (provisto de una broca del número 8) centrado, vertical y paralelo a los lados del montante y efectuamos un agujero de una profundidad similar a la longitud de la mecha de la pata.

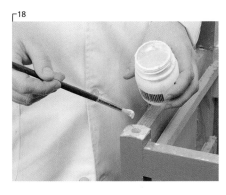

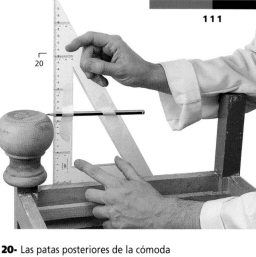

18- Con un pincel redondo no demasiado grueso introducimos cola de carpintero (PVA) en el orificio que hemos realizado, asegurándonos de cubrir perfectamente los lados.

19- Encajamos la mecha de la pata en el agujero, introduciéndola con fuerza. Si esta operación resulta dificultosa, la encajaremos golpeando el extremo de la pata con una maza o un martillo de nailon, interponiendo una pieza de madera.

20- Las patas posteriores de la cómoda son más largas que las nuevas, de modo que habrá que recortarlas. Para traspasar la medida exacta a las patas traseras, confeccionamos una guía con un cartabón, un lápiz y cinta adhesiva de papel. Situamos el cartabón con el ángulo recto junto a la pata nueva y el travesaño del armazón. Luego pegamos un lápiz con cinta adhesiva de papel, de tal manera que su punta coincida con la base de la pata.

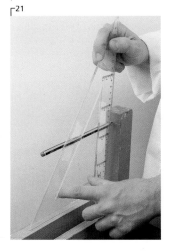

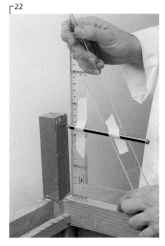

21- Trasladamos la escuadra a la pata posterior. Movemos con sumo cuidado el cartabón, desplazándola perpendicularmente a la pata sobre el travesaño. Así conseguimos una raya continua que nos indica la línea de corte.

22- Efectuamos la misma operación en el otro lado de la pata, también situado hacia el interior. Con ello conseguimos dos líneas que nos servirán de guía para realizar un corte recto y nivelado. A continuación, recortamos con la sierra de costilla. Finalmente, giramos el mueble con mucho cuidado y dejamos secar la cola de carpintero durante 24 horas, tiempo durante el cual no moveremos la cómoda.

23- La cómoda, ya completamente renovada, ha ganado en calidad y presenta ahora un aspecto muy atractivo, ideal para decorar una habitación infantil.

Vitrina

La recuperación y consiguiente renovación de mobiliario nos hace enfrentarnos con problemáticas muy diversas. Es frecuente encontrar muebles con cristales rotos o que han desaparecido completamente, así como roturas de partes e incluso superficies perdidas. La sustitución de un cristal es un proceso sencillo (aunque requiere paciencia y cierta pericia) que, con toda seguridad, deberemos abordar en numerosas ocasiones. Las superficies que han desaparecido totalmente o casi por completo se repararán añadiendo fragmentos de madera nueva. Este caso es un buen ejemplo de ambos problemas, ya que nos enfrentamos a la renovación de una vitrina a la que será necesario sustituir un cristal, añadir otro que falta y reparar el tablero superior mediante un fragmento de contraplacado.

Vitrina de fabricación muy sencilla confeccionada en madera de pino. Su estructura es sólida y la madera, aunque en su origen no recibió ningún tipo de acabado, se halla en perfecto estado. El tablero que cubría la parte superior del mueble se rompió y desapareció casi por completo. También falta un cristal y otro está roto. Las baldas y las piezas del interior de la vitrina están enteras.

1- El paso previo consistirá en desmontar y eliminar el cristal roto, por razones de seguridad. Para ello sacamos los listones que sujetan el cristal a la puerta: situamos la punta de un destornillador entre el listón y el bastidor y efectuamos un ligero movimiento de palanca. El listón cederá y se desprenderá junto con las puntas que lo sujetan. Esta operación es delicada, ya que cualquier movimiento brusco podría provocar la rotura del listón, que nos interesa conservar.

2- El primer paso será lijar todas las superficies del mueble. Lijamos a mano frotando enérgicamente con un papel de lija del número 4 para conseguir una madera pulida y lisa, sin imperfecciones.

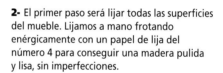

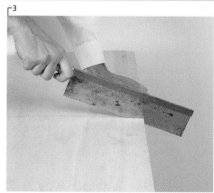

3- A continuación, procedemos a reparar el tablero superior de la vitrina, añadiendo una pieza que cubrirá todo el espacio. Medimos la zona que deseamos cubrir, luego trasladamos y marcamos con lápiz las medidas sobre un tablero de contrachapado comercial de 7 mm de grueso. Recortamos con la sierra de costilla siguiendo la marca.

4- Encolamos con cola de carpintero (PVA) el fragmento de contrachapado sobre el tablero viejo. Para asegurar la unión, clavamos una punta (poniendo especial atención en que quede vertical) en cada uno de los vértices y en el centro de los lados del tablero. Dejamos secar durante 24 horas.

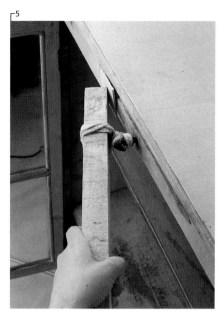

5- El frontal superior de la vitrina lleva un remate de madera que se quiere eliminar. Para extraerlo empleamos un sistema muy sencillo que nos permitirá efectuar palanca sin dañar la madera. Atamos (dando varias vueltas) un cordel de grueso mediano a la tija del remate, luego lo atamos de la misma manera al extremo de un listón grueso de madera. Situamos la cabeza del listón sobre la superficie de la vitrina, intercalando un fragmento de contrachapado u otra madera y tiramos del extremo libre del listón.

6- Para disimular el orificio aplicamos una masilla en pasta comercial de un color similar a la madera del mueble. Disponemos una pequeña cantidad del tubo sobre una espátula metálica y cubrimos el agujero. Dejamos secar unas 2 horas y lijamos a continuación, frotando con un papel de lija del número 6.

7- Para montar cómodamente los dos cristales nuevos es necesario desmontar la puerta de la vitrina. Extraemos los tornillos con un destornillador manual, luego situamos la puerta sobre una superficie de trabajo amplia.

8- Presentamos los cristales (adquiridos en un cristalero que los ha cortado a medida) y los listones para comprobar que casan perfectamente. A continuación, unimos los listones al bastidor con puntas. Clavamos éstas mediante un martillo de cabeza de nailon e interponiendo una pieza de madera no muy gruesa entre la herramienta y el cristal para prevenir su rotura. Finalizado este proceso, montamos las puertas en la vitrina.

9- Para disimular la pieza nueva y unificar las superficies del mueble, pintamos el tablero de contrachapado con pintura plástica comercial (en este caso, de color cereza) con ayuda de una paletina. Dejamos secar y después damos una segunda mano.

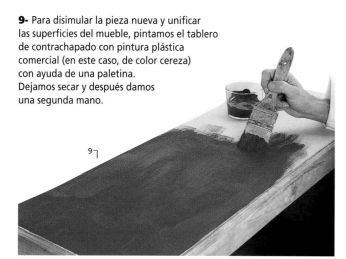

10- Repetimos el proceso de pintado en el interior y en las baldas del mueble. Con ello conseguimos crear contraste cromático entre las superficies pintadas del exterior y del interior respecto a la madera natural del resto de la vitrina.

11- El interior del mueble es muy sencillo, por tanto, será recomendable decorarlo con algún motivo para dotarlo de importancia. En esta ocasión, se opta por estampar un motivo en forma de pétalo, cuya repetición creará elementos florales. En primer lugar, dibujamos la forma a lápiz sobre un papel blanco y recortamos con unas tijeras. Seguidamente, la fijamos, prendiéndola con alfileres sobre un fragmento de esponja sintética comercial (en este caso, espuma de poliuretano) y recortamos con una cuchilla afilada.

12- Con un pincel redondo mediano aplicamos pintura plástica comercial (en este caso, color rosa salmón) sobre una cara de la estampilla. Acto seguido, efectuamos varias pruebas sobre un papel para escoger la distribución más adecuada: optamos por una flor de cuatro pétalos.

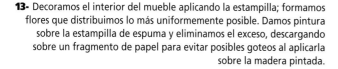

13- Decoramos el interior del mueble aplicando la estampilla; formamos flores que distribuimos lo más uniformemente posible. Damos pintura sobre la estampilla de espuma y eliminamos el exceso, descargando sobre un fragmento de papel para evitar posibles goteos al aplicarla sobre la madera pintada.

14- Una vez seca la pintura rosa, montamos las baldas pintadas con anterioridad. Después, iniciamos el acabado final del exterior del mueble. Protegemos los cristales de posibles manchas pegando cinta adhesiva de papel en todo su perímetro en las zonas en contacto con la madera.

15- Aplicamos a la madera varias capas de aceite de linaza con un manojo de cabos de algodón limpios, dejando secar cada una antes de la siguiente aplicación. El aceite de linaza es autocomburente: en ciertas condiciones ambientales puede inflamarse por sí solo, si está fuera de su envase. Para evitar incidentes desagradables, una vez finalizado el proceso, sumergimos el manojo de cabos de algodón en un recipiente con agua y luego lo desechamos.

16- Fijamos, atornillándolo, el tirador de la puerta. Primero montamos el tornillo superior y luego, levantando la manilla, el inferior.

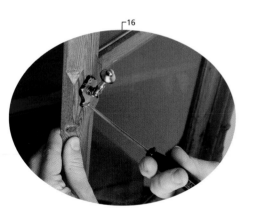

17- La vitrina completamente renovada ha adquirido un aspecto muy atractivo gracias al trabajo de pintura y al acabado natural, que resalta los valores naturales de la madera.

Armario botiquín fabricado en madera de pino y pintado con esmalte comercial blanco. El mueble se halla en perfecto estado, tan sólo la capa de pintura presenta cierto amarilleamiento y los desconchones y marcas propios de un uso continuado.

Botiquín

Uno de los aspectos que resultan más llamativos en los trabajos de renovación es la recuperación del aspecto original de la madera. Efectivamente, el aspecto de un mueble cambia de modo radical cuando aparece una madera de calidad que estaba oculta bajo gruesas capas de pintura. Por lo general, la madera que en su origen fue pintada se halla en muy

buen estado, presentando un color claro y uniforme, ya que las capas de pintura contribuyeron a protegerla de agresiones exteriores. En esta ocasión, recuperamos el cálido aspecto de la madera de pino con que se fabricó este armario botiquín. Para realzar el valor de la materia y actualizar el aspecto del mueble fabricamos una puerta entelada. Para ello es más práctico sustituir la antigua puerta maciza por una pieza nueva adquirida en el comercio de bellas artes que cortar la puerta original.

1- El primer paso del proceso de renovación consistirá en eliminar por completo la pintura que cubre las dos bisagras del mueble rascando con un bisturí. Finalizada esta operación, desmontamos la puerta y la desechamos.

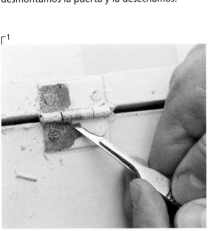

2- Seguidamente, decapamos con una pistola de aire caliente las superficies del botiquín para recuperar el aspecto original de la madera. Regulamos la temperatura y el flujo de aire de la pistola. La sujetamos a cierta distancia mientras dirigimos el flujo de aire perpendicular a la madera. En muy poco tiempo la pintura se reblandece y se abomba; entonces la extraemos con una espátula de pintor. Después, lijamos todas las superficies frotando con un papel de lija del número 6.

3- En el mercado hemos adquirido (también es posible encargarlo a medida) un bastidor para lienzo del mismo tamaño que la antigua puerta, para sustituirla. Antes de montarlo sobre el cuerpo del mueble es necesario extraer las cuñas situadas en la parte interior de los ángulos. Disimulamos los orificios donde se encajaban las cuñas y las juntas, aplicando con una espátula masilla en pasta comercial de un color parecido a la madera. Dejamos secar un mínimo de 2 horas y, a continuación, lijamos todo el bastidor, frotando con un papel de lija del número 6.

4- Unimos el bastidor al armario con las bisagras existentes. Para facilitar nuestro trabajo situamos el mueble sobre un tablón delgado, que disponemos ligeramente elevado respecto del bastidor. Presentamos el bastidor en el lugar adecuado. Fijamos las bisagras con cinta adhesiva de papel para prevenir cualquier movimiento. Situamos la punta de la barrena en los orificios de la bisagra y agujereamos la madera para marcar la posición de los tornillos; luego sacamos la cinta de papel. Finalmente, atornillamos con firmeza el bastidor.

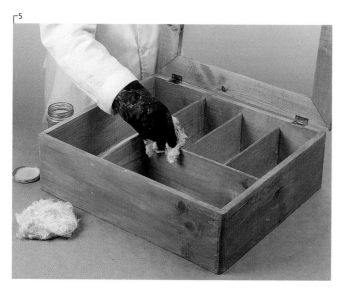

5- El acabado de la madera será un barniz tapaporos. Nos protegemos con guantes largos de neopreno y mascarilla con filtro para vapores orgánicos. Aplicamos finas capas de tapaporos con un manojo de cabos de algodón limpios en el sentido de la veta de la madera. Una vez seca la última capa, lijamos con una lija fina (número 400) y, a continuación, frotamos con lana de acero del número 0000.

6- Cubriremos el hueco del bastidor con una tela de visillo fruncida. En primer lugar, medimos y anotamos el tamaño de la zona que cubrirá la tela, que será algo superior al hueco. Hemos de tener en cuenta que el visillo se sujetará en cada uno de sus extremos con dos ganchos que se atornillarán en el bastidor, justo debajo de la línea del armario al cerrarse. También hay que prever que la tela debe quedar perfectamente tensada.

7- Encargamos la confección del visillo en un comercio de cortinas. Éste deberá estar montado entre dos varillas o gusanillos acabados en cada extremo con una anilla.

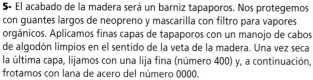

8- Atornillamos al mismo nivel los dos ganchos que sujetarán el visillo por cada lado, de tal manera que no entorpezcan al cerrar la puerta. Luego colgamos la parte superior del visillo mediante las anillas que sujetan la varilla. Repetimos el proceso en la parte inferior de la puerta.

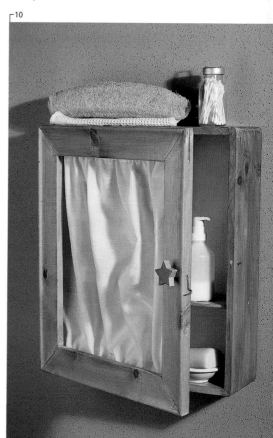

9- Finalmente, atornillamos un tirador de pino barnizado en forma de estrella adquirido en el comercio al bastidor de la puerta. El cierre consiste en un pequeño gancho y su anilla atornillados al lateral de la puerta y al cuerpo del armario respectivamente.

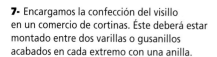

10- El aspecto exterior del pequeño armario es completamente diferente al original. La combinación de la madera recuperada y de la tela blanca da como resultado una pieza de mobiliario acorde con las últimas tendencias de decoración de interiores.

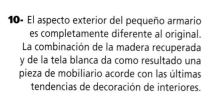

Silla

Uno de los problemas más usuales con que nos podemos enfrentar durante los trabajos de renovación de mobiliario es una madera en mal estado. La madera es, por naturaleza, un material frágil que acusa los cambios de humedad y de temperatura. Por este motivo, los muebles que han estado cierto tiempo en el exterior expuestos a los factores ambientales presentan una madera reseca, agrietada y con grandes cambios de color. En algunas ocasiones, el estado superficial de la madera es tan nefasto que se hace imprescindible cubrirla para transformar el aspecto del mueble. En este ejemplo renovamos una silla cuya superficie de madera está muy estropeada. Recubrimos pintando la madera y dándole un acabado decapado envejecido que le otorgará un aspecto cálido. También sustituimos el asiento de enea (una materia vegetal frágil) por otro realizado con tablero de fibras y un cojín.

Silla fabricada en madera de pino. Su estructura es sólida, pero la madera presenta desgaste superficial, ya que permaneció expuesta durante algún tiempo a los agentes atmosféricos. La superficie de la madera está reseca y muy agrietada. El asiento confeccionado con enea trenzada se encuentra roto.

1- El paso previo antes de iniciar los trabajos de renovación consistirá en eliminar el asiento viejo. Con la punta de una cuchilla muy afilada cortamos los laterales del asiento para desprenderlo del bastidor.

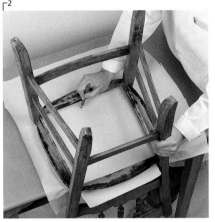

2- Una vez extraída la enea, procedemos a confeccionar una plantilla de la forma del asiento. Será el modelo que entregaremos al carpintero para que corte a medida la madera que sustituirá el viejo asiento. Disponemos un fragmento de papel (en este caso, el que se emplea para embalar) sobre una mesa y colocamos la silla girada hacia abajo. Finalmente, reseguimos el contorno interior y exterior marcando la forma con un lápiz.

3- Como la superficie de la madera se halla en pésimo estado, será necesario adecuarla dándole una capa de preparación con una selladora antes de pintarla. Las selladoras comerciales son de color blanco, de modo que será necesario teñirlas si la técnica decorativa lo requiere. Disponemos la cantidad de selladora que creemos suficiente para cubrir dos veces la superficie de la silla en un recipiente y añadimos algunas gotas de tinte universal de color rojo óxido mientras removemos con un palillo largo de madera. Recomendamos un uso prudente del tinte.

4- El color resultante de la mezcla es un rosa apagado muy suave. Aplicamos una capa de selladora sobre la superficie de la madera (menos el bastidor del asiento) con una paletina de tamaño mediano. Dejamos secar un mínimo de 2 horas y damos una segunda capa.

5- Una vez seca la capa de preparación, pintamos el mueble del color escogido, en este caso azul. Aplicamos una capa de pintura plástica comercial con una paletina mediana. Luego dejamos secar.

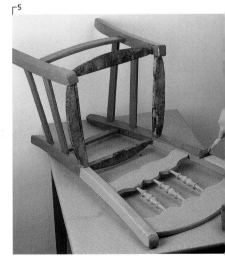

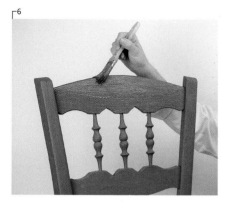

6- Acto seguido, damos una mano de pintura plástica comercial de color frambuesa. Previamente se habrá diluido con un poco de agua hasta conseguir un líquido poco cubriente.

7- Sin que seque la pintura presionamos la superficie con una esponja natural. Con ello conseguimos retirar parte de la capa color frambuesa, que dejará emerger el azul del fondo, a la vez que creamos un efecto texturado. Finalizada esta operación dejamos secar totalmente la pintura.

8- Para conseguir el característico efecto decapado, frotamos las aristas y los elementos torneados de la silla con un manojo de lana de acero del número 00; esto hará aparecer la capa de preparación coloreada o la madera, o ambas. También frotamos muy suavemente las partes lisas, hasta que aparezca la capa de pintura azul. Finalmente, retiramos los restos de pintura del lijado con un paño de algodón.

9- Para proteger la pintura y dar calidad al mueble optamos por un acabado envejecido. En un recipiente efectuamos una mezcla de barniz mate comercial con una pequeña cantidad de pintura al óleo de color sombra. La cantidad de óleo será la mínima posible, ya que tiene gran poder de tinción.

10- Aplicamos el barniz con una paletina sobre la superficie de la silla y dejamos secar.

11- Siguiendo nuestras indicaciones y la plantilla confeccionada con anterioridad, el carpintero ha cortado un fragmento de tablero de fibras de densidad media (DM) de 2 cm de grueso. Lo presentamos sobre el bastidor de la silla y lo clavamos con puntas.

12- Esta silla policromada con un acabado protector simulando envejecido y con un nuevo asiento tiene un aspecto más atractivo que el anterior y ha recuperado la utilidad para la que fue creada.

Estantería rinconera

En ocasiones, encontramos muebles de baja calidad fabricados con materiales muy sencillos. En tales casos, la renovación requerirá una transformación radical, incluso se cambiará el uso del mueble. El proceso de transformación exigirá, con frecuencia, añadir nuevas piezas, ya sea adquiridas en el comercio, confeccionadas por nosotros mismos o encargadas a medida. Su función podrá ser decorativa o constructiva. El acabado más adecuado para estas piezas de mobiliario será el pictórico, ya que unificará los distintos materiales de las diferentes superficies. En este ejercicio transformamos una estantería rinconera de pie de estructura muy frágil en una estantería para colgar con una función eminentemente decorativa.

Estantería rinconera de pie fabricada con plancha fina en madera de pino teñida de color oscuro, en perfecto estado de conservación. Su sencilla estructura junto con la madera de poco grosor conforma un mueble sumamente frágil.

1- El primer paso consiste en cortar la pata trasera. Situamos el mueble firmemente sujeto sobre una superficie de trabajo. Serramos la madera con la sierra de costilla, interponiendo un fragmento de cartón grueso entre la herramienta y la madera para protegerla de posibles cortes y rayadas.

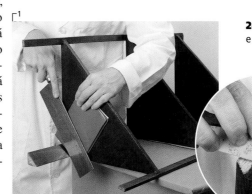

2- Eliminamos las marcas producidas al serrar e igualamos las superficies lijando la zona del corte con un papel de lija del número 5. Empleamos el fragmento de madera cortado apoyando el papel de lija a modo de taco para ejercer una fuerza uniforme.

3- Escogemos y adquirimos un par de remates comerciales que situaremos en los extremos de las patas delanteras una vez cortadas a la medida deseada. Medimos el espacio interior de los remates donde se encajará el fragmento de pata de la estantería.

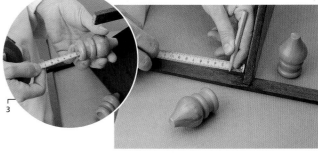

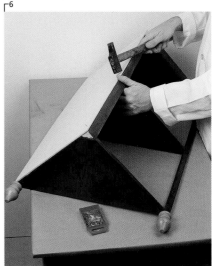

4- Trasladamos la medida sobre la superficie de las patas justo sobre el tablero de la balda y marcamos con un lápiz. Cortamos las dos patas siguiendo el proceso anterior.

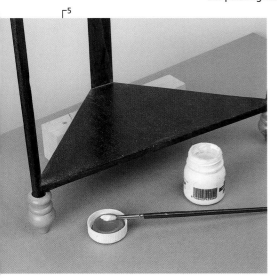

5- Aplicamos cola de carpintero (PVA) en el interior de las piezas de remate. Luego las situamos, encajándolas, en cada extremo de las patas cortadas. Para asegurar el correcto encolado, disponemos el mueble girado hacia abajo, situando un tablón de madera bajo el vértice, de manera que el peso de la vitrina ayude a fijar las piezas. Dejamos secar la cola durante 24 horas.

6- Medimos y anotamos el tamaño de los lados de la vitrina. Encargamos dos planchas de contrachapado de 4 mm cortadas a la medida y otra de la misma longitud que la cara frontal del mueble. Clavamos el contrachapado con puntas en los dos lados de la vitrina a modo de fondo.

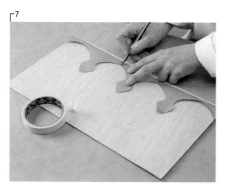

7- Confeccionamos dos piezas que colocaremos a modo de faldones para rematar la parte frontal de las dos baldas. Sobre un papel grueso (en este caso, papel de embalar) dibujamos una cenefa con un perfil parecido al motivo de los remates y la recortamos. Fijamos la plantilla con una cinta adhesiva sobre una pieza de contrachapado. Reseguimos el contorno con un lápiz.

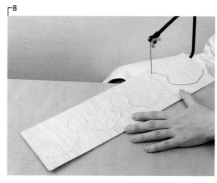

8- Cortamos con la sierra de costilla la parte sobrante del tablero. Situamos el contrachapado marcado sobre una superficie de trabajo. Sujetamos la pieza firmemente con una mano mientras cortamos con la sierra de calar en la otra. Esta operación requiere cierta pericia, es aconsejable realizarla prestando mucha atención.

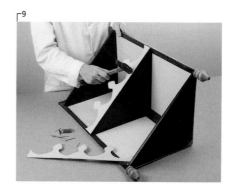

9- Lijamos las aristas y la zona de corte de la pieza frotando con un papel de lija del número 6. Confeccionamos otra pieza idéntica y repetimos este proceso. Situamos las dos piezas de contrachapado sobre la arista frontal de las dos baldas superiores a manera de faldón. Las clavamos con agujas (puntas sin cabeza) para no marcar su superficie.

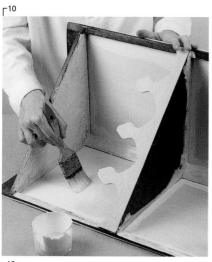

10- Preparamos la madera para el recubrimiento final dando una capa de selladora comercial con una paletina mediana. Empezamos por los ángulos y vértices, y recubrimos luego las superficies del interior. Posteriormente, daremos una capa al exterior de la vitrina. Dejamos secar un mínimo de 4 horas.

11- Damos una segunda mano de selladora. Una vez seca procedemos a lijar el mueble frotando con un papel de lija del número 0.

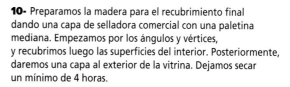

12- Pintamos el interior de la vitrina con pintura plástica comercial de color mostaza. Dejamos secar la pintura durante 4 horas y luego pintamos los montantes y los faldones con pintura plástica comercial de color pimentón. Finalmente pintamos un motivo ajedrezado para decorar los remates y faldones.

13- La renovación ha dado como resultado la transformación total del mueble. Lo ha convertido en una estantería de aire oriental, ideal para decorar cualquier rincón de la casa.

Mesa auxiliar

La renovación no siempre debe centrarse en una sola pieza de mobiliario. Un aspecto interesante de esta técnica es transformar dos piezas de mobiliario (o partes de éstas) en un mueble nuevo. Para conseguirlo, se requiere imaginación y espíritu de innovación más que la aplicación de técnicas o procesos muy complicados. En este caso, el proceso de renovación transformará una mesa de hierro forjado y cristal y una puerta de madera de una librería en una mesa auxiliar de sabor campestre. Los dos elementos que formarán el mueble (patas de hierro y tablero de la puerta) proceden de dos piezas de mobiliario de estilos muy diferentes.

Puerta de una librería fabricada en madera de pino y teñida. Su estado de conservación es bueno y la superficie de la madera no muestra ningún deterioro. Mesa auxiliar compuesta por una estructura y pies de hierro con la parte superior de cristal. El estado de la parte de metal es excepcional, ya que no presenta ningún desgaste ni herrumbre.

1- El primer paso consiste en extraer las piezas de hierro de la puerta: bisagras y bocallave con tirador. Situamos la puerta sobre una superficie de trabajo amplia, fijándola con un gato para sujetarla. Con un destornillador sacamos los tornillos que unen éstos a la superficie de la puerta.

2- Para disimular los agujeros aplicamos masilla comercial de un color similar a la madera. Disponemos una pequeña cantidad en la punta de una espátula y la aplicamos sobre los orificios. Dejamos secar 2 horas, luego lijamos con un papel de lija del número 6 hasta nivelar la masilla con la madera.

3- Extraemos el cristal de la mesa y lo desechamos. Dado que la estructura de hierro se halla en perfecto estado, sólo será necesario darle un acabado. La situamos sobre una superficie de trabajo dispuesta sobre cuatro piezas gruesas de madera que permitirán el acceso a todos los rincones. Con un pincel mediano de punta cuadrada damos una capa de barniz transparente para metales. Luego dejamos secar.

4- Medimos la cara interior (que luego será el tablero de la mesa) y la exterior (la parte inferior del tablero) de la puerta. Después, tomando como guía las mediciones anteriores, marcamos con un lápiz en la parte exterior de la puerta dónde se unirá la estructura de hierro; deberá quedar centrada respecto al tablero.

5- Situamos la estructura de hierro sobre nuestras marcas y la fijamos a la madera con puentes metálicos para tuberías. Estas piezas se emplean sobre todo en trabajos de fontanería y electricidad, pero también son muy útiles para unir elementos de sección circular sobre superficies lisas. Disponemos cada puente en el lugar adecuado, efectuamos un agujero con la barrena y atornillamos.

6- Una vez montada la mesa, medimos la anchura y longitud de la parte interior del tablero y tomamos nota. Encargamos a un cristalero un cristal de 8 mm de grueso de idéntico tamaño que el tablero de madera.

7- Con un manojo de cabos de algodón damos una capa de cera para muebles a la superficie del tablero. Luego dejamos secar 8 horas.

8- Transcurrido este tiempo, pasamos un paño de algodón limpio para abrillantar. Frotamos en el sentido de la veta de la madera.

9- En el comercio se han adquirido ramos de diferentes tipos de flores secas; algunas tienen su color natural y otras están teñidas. Con unas tijeras de punta afilada cortamos con sumo cuidado las flores separándolas de los tallos y las disponemos en recipientes.

10- Disponemos los recipientes sobre el tablero de la mesa y presentamos las distintas flores sobre los espacios del tablero, de tal manera que los tonos queden equilibrados y ofrezcan contraste cromático. Finalmente, colocamos las flores de forma homogénea para que cubran cada espacio y situamos el cristal sobre la madera. Es aconsejable unir el cristal a la madera poniendo una gota de silicona transparente en cada ángulo del tablero, en caso de que la mesa tuviera que ocupar un lugar de paso o tuviese un uso continuo.

11- El resultado es una mesa auxiliar de estilo rústico con un bonito contraste de colores y texturas de un innegable aire campestre.

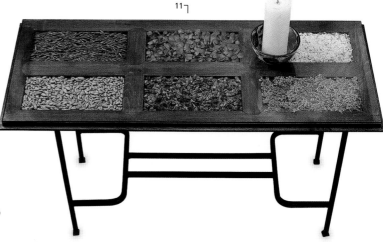

Alacena

Con frecuencia, la recuperación de muebles pasa por la sustitución de detalles o piezas y por nuevos acabados. Éstos son tan importantes para el resultado final como la adecuación de la estructura o la reparación de superficies, por ejemplo. Los pequeños detalles son los que dan sabor y rematan el resultado. En este caso, nos enfrentamos a la transformación de una alacena que presenta la madera recubierta por completo con una vieja capa de pintura y que ha perdido diversos elementos, como cristales y algunos tiradores. Nuestro trabajo se centrará en adecuar la madera mediante un decapado y su posterior acabado para protegerla, embelleciendo su aspecto mediante diferentes técnicas de aplicación del barniz. También añadiremos nuevos elementos, por ejemplo celosías, pomos y tiradores, que variarán por completo su aspecto.

Mueble alacena fabricado en madera de pino, gruesa en ciertas partes y muy fina en los paneles frontales, laterales y posteriores. Esta construcción da como resultado un mueble de calidad desigual. La estructura se halla en perfecto estado, pero la superficie de la madera presenta un recubrimiento pictórico nefasto. Asimismo, faltan algunos tiradores y los paneles de las puertas superiores.

1- En primer lugar, sacamos la balda y los cajones y desatornillamos los tiradores desde la parte interior de los cajones y las puertas. A continuación, para trabajar con mayor comodidad, giramos el mueble. En un ambiente bien ventilado damos una mano de decapante comercial en gel sobre un panel lateral de la alacena. Nos protegemos con guantes largos de neopreno y una mascarilla antivapores.

2- Dejamos actuar el decapante unos minutos, hasta que la capa de pintura se reblandezca y adquiera una consistencia pastosa, que formará una superficie arrugada y discontinua. Retiramos la pasta con una rasqueta y la depositamos sobre un fragmento de papel.

3- Para eliminar los restos frotamos la superficie del panel con un manojo de cabos empapados en alcohol.

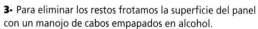

4- Finalizamos la limpieza frotando con un manojo de lana de acero del número 00 también empapado en alcohol.

5- Para desprender la pintura de los ángulos y rincones rascamos con un escatador.

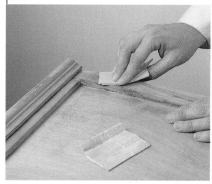

6- Repetimos el proceso descrito en todas las superficies del mueble, efectuando siempre el decapado por zonas. Después, lijamos el mueble frotando con un papel de lija del número 6 hasta conseguir superficies finas y lisas preparadas para recibir el recubrimiento de acabado.

7- Lijamos los paneles de las puertas inferiores frotando con papel de lija del número 2, ya que el tablero de madera en esta zona es muy delgado y presenta numerosos desniveles.

8- Eliminamos los restos de polvo sobre la madera de todo el mueble producidos al lijar con un aspirador doméstico regulado a la máxima potencia.

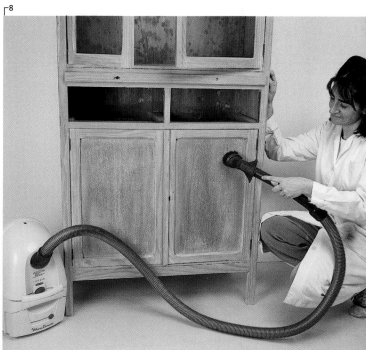

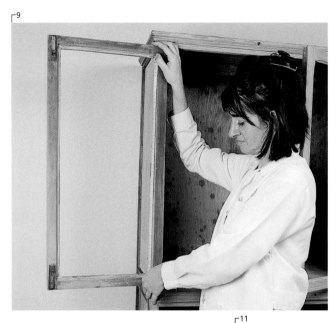

9- Los paneles de las puertas superiores han desaparecido, por lo que añadiremos dos piezas de celosía comercial nuevas. Medimos cada puerta y las encargamos a un carpintero o en una tienda de bricolaje.

10- Con un destornillador de punta de estrella sacamos los tornillos de las bisagras para desmontar las dos puertas superiores.

11- Situamos la puerta izquierda sobre una superficie de trabajo para sacar la pieza vertical de madera clavada sobre ella. La sujetamos fuertemente con una mano mientras con la otra efectuamos palanca, situando un destornillador de punta fina entre el montante de la puerta y la pieza hasta desprenderla.

12- Extraemos los clavos con las tenazas. Situamos un pequeño fragmento de madera sobre el montante de la puerta en un lado del clavo. Aprisionamos la cabeza del clavo entre las tenazas y tiramos de él haciendo palanca, apoyando las tenazas sobre el fragmento de madera. Con ello protegemos la madera de posibles golpes y rayas.

13- Situamos una celosía en el bastidor de cada puerta y comprobamos que ajustan. Fijamos cada extremo de los listones que la componen a la puerta con puntas. Las clavamos perfectamente verticales.

14

15

16

14- A continuación, damos el acabado final para proteger la madera. Las diferentes partes del mueble recibirán recubrimientos de colores y con texturas diferentes, por lo que será necesario proteger las distintas zonas con cinta adhesiva de papel. En primer lugar, pegamos cinta de papel en los lados de todos los paneles del mueble para protegerlos.

15- Con una paletina de tamaño mediano damos una mano de barniz brillante final para muebles de color cerezo a las piezas horizontales y verticales que enmarcan los paneles de la alacena. Dejamos secar y después retiramos la cinta.

16- Pegamos cinta adhesiva sobre el canto y los lados interiores de las piezas de color cerezo. Aplicamos una capa de barniz brillante transparente con un manojo de cabos de algodón sobre los paneles laterales, cajones, tablero extraíble y paneles inferiores para otorgarles un acabado texturado de aspecto rústico.

17

18

17- La madera del interior de la alacena está manchada y presenta grandes cambios de color. Lo más adecuado es pintarla. Aplicamos pintura plástica comercial de color amarillo garbanzo en los ángulos y las esquinas del interior.

18- A continuación, pintamos las superficies lisas con un rodillo. La aplicación de cualquier pintura debe efectuarse siempre desde los lados y el interior (el lado posterior) hacia el exterior (los dos laterales, en este caso).

19- Montamos las puertas atornillando las bisagras. Acto seguido, aplicamos barniz final brillante para muebles de color cerezo sobre la celosía. Este proceso requiere cierta atención, ya que hay que barnizar absolutamente todas las caras de los listones. De otro modo, el aspecto final de nuestro trabajo se vería comprometido.

20- En el comercio se han adquirido dos tiradores y dos pomos a juego de color nogal. Para fijarlos en los cajones disimulando los orificios resultado de la extracción de los viejos, nos servimos de una guía. Primero confeccionamos una plantilla del tirador: marcamos el perfil de su base resiguiendo el contorno con un lápiz sobre un papel, señalamos los agujeros por donde pasan los tornillos y posteriormente recortamos la forma.

21- Medimos el frontal del cajón y situamos la plantilla nivelada de tal manera que disimule el orificio existente. Con un lápiz marcamos la situación de los agujeros.

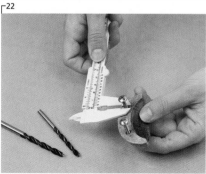

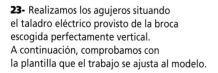

22- Con el pie de rey medimos el grueso de los tornillos, luego escogemos una broca de un tamaño similar, en este caso del número 4.

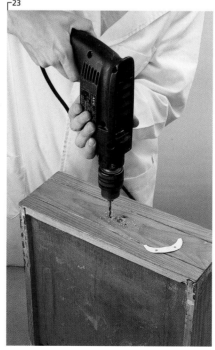

23- Realizamos los agujeros situando el taladro eléctrico provisto de la broca escogida perfectamente vertical. A continuación, comprobamos con la plantilla que el trabajo se ajusta al modelo.

24- Finalmente, sujetamos el tirador sobre el frontal del cajón y pasamos los tornillos por los agujeros realizados. Luego atornillamos desde la parte interior del cajón hasta que la pieza quede sujeta a la madera.

25- La alacena carecía originalmente de bocallave. Nuestros trabajos han dado un nuevo aspecto al mueble, pero habrá que añadir este elemento para conseguir un acabado de calidad. Situamos la bocallave sobre el orificio existente y comprobamos que es ligeramente más grande. Con un lápiz marcamos, siguiendo el contorno, el perfil de la pieza.

26- Con el micromotor provisto de una punta de broca delgada rebajamos la madera. Situamos la punta en el interior del orificio y efectuamos desplazamientos laterales para cortar la madera, rebajándola hasta que el agujero coincide con la marca.

27- Encastamos la bocallave metálica en el agujero realizado. Finalmente, atornillamos los pomos nuevos reutilizando los orificios ya existentes en el tablero extraíble, situado sobre los cajones.

28- El aspecto final de la alacena, resultado de nuestro trabajo, difiere por completo del original. Hemos renovado un mueble casi irrecuperable y lo hemos transformado en una alacena con cierto sabor colonial.

Banqueta

La transformación de un mueble y su conversión en otro que lleva aparejado un uso muy diferente requiere en la mayoría de casos el cambio o renovación de la estructura. Cualquier modificación en la estructura de un mueble comporta un proceso técnico bastante complejo, lo que implica emplear mucho tiempo, así como técnicas costosas y laboriosas para las que se necesita experiencia. Existe, sin embargo, cierto tipo de muebles que permiten variar por completo su aspecto y adoptan un nuevo uso sin cambiar por ello su estructura. En esta ocasión, una mesa auxiliar se ha transformado en una práctica banqueta. El proceso tan sólo ha requerido cambiar los travesaños de lugar al variar la longitud de las patas recortándolas. Se han añadido dos piezas nuevas a modo de brazos y un cojín para hacer más confortable el asiento.

Mesa auxiliar confeccionada en madera de pino maciza teñida de color nogal oscuro. El estado general de la madera es bueno; la estructura del mueble se encuentra intacta, por lo cual es muy sólido. El tablero está compuesto por dos piezas de madera de grosor intermedio, resistente para realizar la función de asiento.

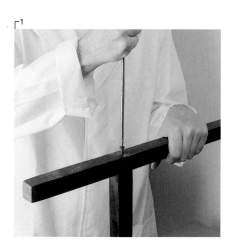

1- El primer paso consistirá en modificar la situación de los travesaños. Estos elementos refuerzan la estructura de las patas y dan solidez general al mueble, por ello es imprescindible conservarlos. Extraemos la construcción en forma de "H" desatornillando el extremo de los travesaños menores que los unen a las patas.

2- Medimos la altura total del mueble y decidimos por dónde cortaremos las patas (en este caso, será un tercio de su longitud). Seguidamente medimos el encaje antiguo y su situación respecto a los lados de la pata. Con la escuadra trasladamos las medidas, marcando el perfil con la punta de un bisturí o cuchilla, aproximadamente a un tercio de la altura que tendrán las patas.

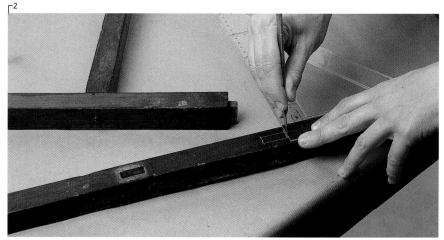

3- Para rebajar la madera del encaje emplearemos un sistema fácil que nos permitirá avanzar rápidamente en nuestro trabajo. Con un taladro provisto de una broca (del número 8) efectuamos varios agujeros muy juntos sin perforar por completo la pata. Con ello eliminaremos gran cantidad de madera de la zona que nos interesa rebajar.

4- Con un formón afilado de dimensiones ligeramente inferiores al espacio que debemos trabajar, cortamos la madera hasta que coincida con las marcas. Situamos la hoja del formón con el filo hacia el exterior y empujamos con fuerza, si es necesario golpearemos el extremo del mango con un martillo.

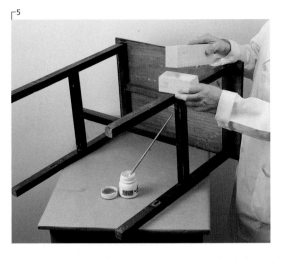

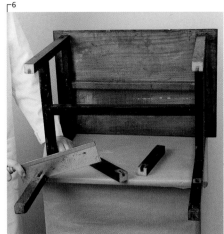

5- Disponemos y encolamos los travesaños encajando las mechas en las patas. Golpeamos, protegiendo la superficie con un fragmento de madera para evitar posibles marcas, la zona donde se unen a las patas para asegurar un ajuste perfecto. Dejamos secar la cola durante 24 horas sin mover el mueble.

6- Una vez encolados los travesaños, medimos y marcamos los cuatro lados de las patas. A continuación, las cortamos con la sierra de costilla.

7- La transformación del mueble en banqueta requerirá el añadido de brazos. A tal efecto, medimos los laterales, luego adquirimos en el comercio dos piezas cortadas a medida de balaustrada realizada en madera de pino.

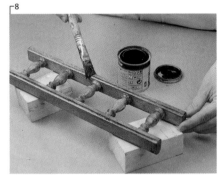

8- Para unificar el color de las dos nuevas piezas con el resto del mueble las recubrimos con un barniz sintético comercial de color nogal oscuro. Disponemos cada pieza sobre la superficie de trabajo sobre dos fragmentos gruesos de madera y aplicamos dos capas de barniz con un pincel mediano de punta cuadrada. Dejamos secar el barniz tras cada aplicación.

9- Unimos las piezas al mueble. Sujetamos el fragmento de balaustrada sobre el lateral del tablero firmemente con un par de gatos. Giramos el mueble situándolo hacia abajo y con el taladro eléctrico provisto de una broca (del número 4) perforamos el tablero y parte de la pieza sin atravesarla. Finalmente, atornillamos la balaustrada al tablero del mueble.

10- La banqueta una vez finalizado nuestro trabajo, resultado de la transformación de la mesa. Se ha añadido un cojín para hacer más cómodo el mueble.

Mesa

Con toda seguridad, el proceso de renovación que resulta más espectacular es la tinción de las superficies de los muebles. El teñido aporta nuevos valores al mobiliario, cambiando por completo el aspecto del material sin variar los valores propios de la madera: calidad, veteado, grano, dureza... En esta ocasión, se ha renovado el aspecto exterior de una mesa recubierta con pintura y barniz. Primero se ha preparado la madera decapándola y lijándola para teñirla a continuación de varios colores. Las reservas permiten realizar motivos lineales tiñendo la superficie de diferentes colores; aquí, están dispuestas sobre el tablero y el cajón a modo de cenefa. El proceso finaliza con la eliminación del repelo levantado por la acción del agua y dando un acabado protector al mueble.

Mesa confeccionada en madera de pino maciza. El mueble es muy sólido, dado que su estructura se encuentra en muy buen estado. La superficie de la madera está cubierta por una capa de barniz en el tablero y pintada con esmalte blanco en el cajón, faldones y patas. La madera presenta un estado de conservación regular: se observa el desgaste propio de un uso continuado.

1- El primer paso consistirá en eliminar las capas de pintura y barniz que recubren la madera y en extraer el pomo del cajón. Dado que el mueble está formado por gruesas piezas de pino macizo, emplearemos una solución de sosa cáustica para decapar. En un recipiente ancho y hondo de plástico efectuamos una mezcla de 1 kilo de sosa cáustica en gránulos en 2 litros de agua caliente.

2- Mojamos un manojo de cabos de algodón en la disolución y lo escurrimos sobre la superficie de la madera. Repartimos el líquido sobre la zona que deseamos decapar, frotando con el manojo de cabos. Luego frotamos la superficie de la madera con un manojo de lana de acero del número 00 (siempre en el sentido de la veta de la madera) hasta eliminar por completo la capa de pintura. Finalmente, aclaramos la madera mojándola con abundante agua y frotando con cabos. Dejamos secar.

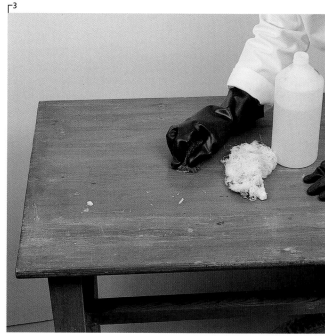

3- Para eliminar el barniz que cubre el tablero empleamos alcohol de 96°. Siguiendo el sentido de la veta de la madera, aplicamos con un manojo de cabos de algodón una cantidad generosa de alcohol sobre la superficie. Una vez haya actuado, frotamos ésta con un manojo de lana de acero del número 00 hasta retirar la capa de barniz. También frotamos el resto del mueble con cabos empapados en alcohol.

4- Preparamos la madera para el posterior teñido lijando toda la superficie de la mesa. Frotamos con un papel de lija del número 6 en el sentido de la veta de la madera, hasta conseguir una superficie pulida y lisa.

5- Iniciamos el proceso de teñido en el cajón. Medimos y disponemos una cinta adhesiva de papel perfectamente recta y centrada sobre la zona que en la primera aplicación dejaremos sin teñir. Con este método confeccionamos reservas para teñir la superficie de la madera con distintos colores.

6- En un recipiente de cristal preparamos el tinte, mezclando agua corriente con anilina al agua en polvo. La cantidad de anilina variará dependiendo del color que queramos conseguir: cuanto más oscuro sea mayor cantidad de anilina añadiremos. Es recomendable usar este material con precaución, añadiendo poca cantidad cada vez. Preparamos a la vez los colores con que teñiremos la mesa: verde, violeta y naranja.

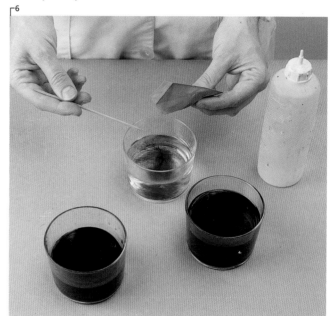

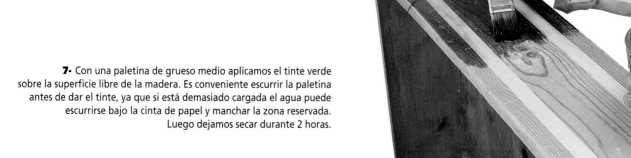

7- Con una paletina de grueso medio aplicamos el tinte verde sobre la superficie libre de la madera. Es conveniente escurrir la paletina antes de dar el tinte, ya que si está demasiado cargada el agua puede escurrirse bajo la cinta de papel y manchar la zona reservada. Luego dejamos secar durante 2 horas.

8- Una vez seca la superficie verde, extraemos la cinta adhesiva de papel de la reserva. Para evitar que se mezclen los colores, protegemos la parte ya teñida disponiendo también cinta adhesiva de papel en los lados.

9- Con un pincel mediano de punta cuadrada bien escurrido aplicamos tinte de color violeta en la zona donde efectuamos la reserva. Dejamos secar 2 horas. Mientras seca el cajón, teñimos las patas y los faldones de la mesa con tinte violeta y dejamos que sequen.

10- El tablero de la mesa repetirá el motivo rectangular de color violeta del cajón, por lo que efectuaremos una reserva similar. Medimos y pegamos recta y centrada, respetando las mismas proporciones que en el cajón, cinta adhesiva de papel.

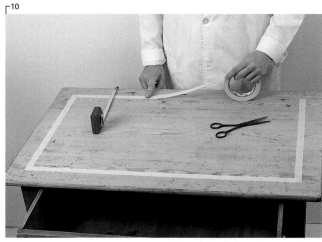

11- Aplicamos el tinte de color naranja, distribuyéndolo de forma homogénea sobre la superficie y la parte inferior del tablero con una paletina ancha escurrida. Siempre que es necesario, unificamos el color pasando un manojo de cabos de algodón para eliminar el trazo de la paletina sobre la madera. Dejamos secar 2 horas.

12- Siguiendo el proceso ya descrito, protegemos los lados de la zona teñida de naranja y aplicamos tinte de color violeta sobre la reserva, dejando secar por completo la madera. Tras el proceso, retiramos con cuidado las cintas de papel.

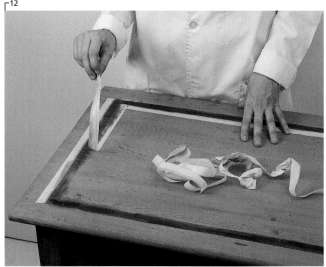

13- La madera del interior del cajón presenta el desgaste propio de un uso continuado. Para protegerla y conferirle un acabado en consonancia con el exterior damos una mano de barniz transparente mate comercial con un manojo de cabos de algodón.

14- En el comercio se ha adquirido un pomo de pino sin barnizar. Lo teñimos con el tinte de color naranja y lo encolamos al cajón mediante cola de carpintero (PVA). Dejamos secar la cola 24 horas antes de manipular el cajón.

15- El agua contenida en la mezcla del tinte ha levantado el repelo de la madera. Para eliminarlo frotamos toda la superficie del mueble con un estropajo de esparto, ya que con un papel de lija eliminaríamos parte del color.

16- Finalizada esta operación, damos el acabado final a la madera. Aplicamos con una paletina barniz transparente mate sobre todas las superficies. Dejamos secar la primera capa de barniz y, a continuación, damos una segunda mano.

17- El aspecto de la mesa ha cambiado radicalmente con un sencillo proceso de teñido. El juego de colores da nueva vida a la madera.

Armario para CD

En ciertas ocasiones, la renovación no se lleva a cabo en muebles, sino sobre piezas o partes de éstos. El uso de fragmentos de mobiliario puede dar lugar a la confección de nuevos muebles, resultado de la unión de varias piezas de diferente procedencia o a la transformación radical. La recuperación de algunas partes y la transformación de su aspecto para otorgarles un nuevo uso es una cuestión suma-mente interesante. En la mayoría de casos, ésta sólo requerirá eliminar o añadir unos pocos elementos, los cuales variarán por completo el aspecto y utilidad de la pieza. En este ejercicio se muestra la transformación de una vieja tapa de máquina de coser en un armario de pie para discos compactos.

Tapa de una vieja máquina de pie de coser, fabricada en madera de cerezo. Su estado es muy bueno, tan sólo la capa de barniz que la recubre presenta algunas marcas, como resultado de un uso habitual. La superficie interior no muestra señal alguna y el asa está firmemente unida a la tapa.

1- El primer paso consistirá en reparar el acabado de la madera. Empezamos decapando el exterior de la tapa. Aplicamos alcohol de 96° sobre una zona y frotamos con un manojo de lana de acero del número 000. Eliminamos los restos de barniz reblandecido frotando con un manojo de cabos.

2- Para barnizar la madera emplearemos barniz tapaporos diluido. En un recipiente de cerámica (o cristal) mezclamos 2 partes de barniz con una de disolvente universal y removemos hasta conseguir un líquido de aspecto homogéneo. Nos protegemos con guantes largos de neopreno y mascarilla antivapores.

3- Aplicamos el tapaporos diluido con una muñequilla y dejamos secar. Seguidamente, lijamos la superficie de la madera frotando con un papel de lija del número 400 y, a continuación, con lana de acero del número 0000 hasta conseguir una superficie muy fina. Después damos una segunda mano.

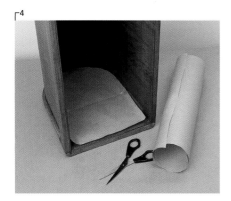

4- Para transformar la tapa en armario será necesario añadirle 2 baldas. Las adquiriremos cortadas a la medida en tablero de fibras de densidad media (DM) de 1 cm de grueso. Para encargarlas convendrá confeccionar una plantilla. Con un papel de embalar grueso recortamos la forma del interior de la tapa.

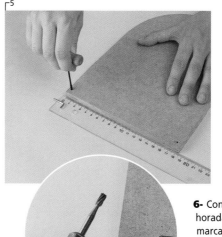

5- Fijaremos la parte frontal de las baldas con un par de alcayatas. Éstas se introducirán por un orificio en la parte inferior de la balda, sujetando firmemente la madera. Por este motivo, en primer lugar medimos y marcamos con la barrena la situación del agujero donde encajaremos la cabeza de las alcayatas, teniendo en cuenta que el extremo de rosca irá atornillado a la madera del mueble.

6- Con el micromotor provisto de una fresa para horadar similar a una broca agujereamos en el lugar marcado. La profundidad del agujero coincidirá con la longitud de la cabeza de la alcayata, de tal manera que ésta quede al mismo nivel que la madera. Con la misma punta dispuesta horizontalmente efectuamos un pequeño rebaje para que la alcayata no sobresalga bajo la balda.

7- También adquirimos 2 listones cuadrados de 1 cm de lado en madera de pino cortados a la misma longitud que la parte frontal de las baldas. Tomando como modelo un CD, clavamos con agujas (puntas sin cabeza) un listón en la cara superior de cada balda. Con ello conseguiremos que los CD queden alineados.

8- Medimos el espacio interior de la tapa y hacemos tres divisiones. Marcamos con una barrena el lugar donde situaremos las alcayatas, luego las atornillamos con la mano.

9- Colocamos las baldas sobre las alcayatas. Con un papel no muy grueso cortamos una plantilla del perímetro interior de cada espacio, como si quisiéramos forrar la pared interior de la tapa. Seguidamente, fijamos la plantilla sobre la superficie exterior de la madera con cinta adhesiva de papel, en disposición igual que el interior. Esto nos servirá de guía para clavar las agujas que soportarán la parte posterior de las baldas exactamente en el lateral de cada pieza de tablero de densidad media.

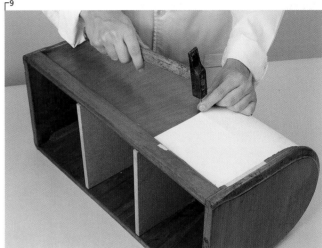

10- Medimos la parte inferior de la tapa y distribuimos las ruedas que soportarán el mueble. Con la barrena agujereamos la madera y marcamos la situación de cada rueda.

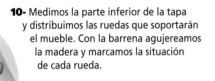

11- Atornillamos dos ruedas en la parte frontal y otra en la parte posterior.

12- Hemos adquirido dos molduras teñidas y barnizadas con perfil de media caña cortadas a la medida deseada. Las clavamos con agujas sobre el lado visible de cada balda para disimular el tablero de fibras de densidad media y rematar el aspecto general de nuestro trabajo.

13- Una vez finalizado todo el proceso, la tapa se halla completamente transformada en un armario. Este nuevo mueble, resultado de nuestro esfuerzo, será muy útil cerca del equipo de música o el ordenador personal.

Baúl

Algunos de los problemas con que nos enfrentaremos al renovar un objeto de madera son los insectos y las piezas o partes en mal estado. Los insectos constituyen un problema frecuente y peligroso, ya que con el tiempo pueden destruir por completo cualquier mueble u objeto de madera. Las piezas en mal estado, consecuencia de un exceso de humedad o temperatura o ambas cosas, o a causa de una rotura afean el aspecto del objeto y pueden afectar la solidez de la estructura. Las soluciones que habrá que adoptar son la desinfección y la sustitución, respectivamente. En esta ocasión, se muestra la transformación de una caja de embalaje en un baúl que, a su vez, puede servir, con la tapa cerrada, como mesa auxiliar. El proceso consiste en la desinfección total y el posterior recubrimiento de los orificios dejados por los insectos, sustitución de una pieza de refuerzo en mal estado y añadido de los elementos para transformar la caja.

Caja para embalaje industrial fabricada en madera de pino. En uno de sus lados lleva impresa la antigua marca del fabricante, donde aparece un dibujo. Su estado general es bastante bueno, aunque se detecta la presencia activa de insectos y una de las piezas de refuerzo está podrida y rota.

1- En primer lugar extraemos la pieza podrida, dado que es imposible recuperarla. Situamos la punta de un destornillador en el interior del espacio de la juntura entre la pieza y el cuerpo de la caja. Golpeamos el extremo de su mango con un martillo hasta que el extremo del destornillador avance por el espacio libre y separe la pieza de refuerzo.

2- Desprendemos la pieza con un fuerte movimiento de palanca. Como la madera está muy degradada, gran parte de los clavos han quedado fijados sobre la caja. Los sacamos tirando de ellos con unas tenazas y los conservamos.

3- Dado que los insectos aún están activos, procederemos a una desinfección completa. En primer lugar, limpiamos en profundidad, con un paño todas las superficies de la caja. Protegidos con guantes y mascarilla antivapores, aplicamos un desinfectante líquido comercial en cada orificio con una jeringa. Con ello nos aseguramos de que el líquido penetra en el interior de la madera.

4- Seguidamente, aplicamos desinfectante sobre todas las superficies. Con una paletina ancha damos una mano procurando que el líquido empape la madera y llegue a todos los rincones.

5- Para finalizar, confeccionamos una bolsa de desinfección con plástico de polietileno grueso y cinta de precinto. Unimos los lados del plástico con la cinta, poniendo atención en cubrir todos los orificios y espacios y de tal modo que quede la menor cantidad posible de aire en el interior de la bolsa. Fijamos sobre el exterior del plástico un papel o etiqueta donde anotamos la fecha de la realización de la bolsa. Dejamos transcurrir 15 días.

6- Después de este tiempo, desmontamos la bolsa. Disimulamos con ceras duras los agujeros producidos por los insectos. Escogemos una barra de cera de un color similar a la madera, pellizcamos una pequeña cantidad y la amasamos entre los dedos hasta conseguir un cilindro estrecho. Situamos el extremo en el interior del orificio y con una espátula de madera chafamos (cortando) y nivelamos la porción de cera, de tal manera que quede integrada en la superficie de madera.

7- Adquirimos dos piezas de madera maciza de pino. Una de ellas sustituirá la pieza de refuerzo y la otra servirá como tapa del baúl. Para igualar su color respecto del resto de la caja las teñiremos. En un recipiente de cristal preparamos un tinte de anilina al agua de color nogal débil. Lo aplicamos con una paletina gruesa. Una vez secas las piezas, frotamos la superficie en el sentido de la veta de la madera con un manojo de estropajo de esparto para eliminar el repelo.

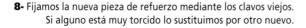

8- Fijamos la nueva pieza de refuerzo mediante los clavos viejos. Si alguno está muy torcido lo sustituimos por otro nuevo.

9- En el comercio hemos adquirido bisagras, esquineras y una cerradura de latón a juego. Presentamos la tapa sobre la caja, situamos las bisagras y las centramos respecto del centro de la tapa y de cada lado. Marcamos, agujereando con la barrena, el lugar donde fijaremos los tornillos. Finalmente, atornillamos las bisagras sobre la tapa y la caja.

10- A continuación, presentamos la cerradura. Medimos y la situamos justo en el centro de la tapa, que coincidirá con el centro exacto de la cara frontal de la caja. Luego la fijamos a la madera, siguiendo el mismo proceso que las bisagras.

11- En cada ángulo de la parte inferior clavamos una esquinera. Estas piezas servirán para embellecer, reforzar y proteger la madera que estará en contacto con el suelo.

12- Confeccionamos las asas del baúl con cuerda de algodón gruesa, un material que le dará un aspecto rústico e informal. Medimos y marcamos los puntos donde situaremos cada extremo del asa, poniendo atención en que queden nivelados y centrados en cada lado. Huelga decir que ambas asas tendrán que estar dispuestas de igual manera en los dos laterales del baúl. Con el taladro eléctrico provisto de una broca del número 8 agujereamos la madera.

13- Pasamos el cordel de algodón blanco por uno de los orificios que hemos practicado. A continuación, pasamos dos tubos de madera clara para cortina que servirán para rematar las asas y proteger el cordel del desgaste por efecto de la fricción con la madera.

14- Disponemos el asa según la medida deseada y anudamos el cordel en el interior de la caja. Cortamos la parte sobrante.

15- Para proteger la madera y otorgarle calidad, damos una mano de cera final para muebles de color nogal. Con un manojo de cabos de algodón la distribuimos de forma homogénea sobre el exterior del baúl y dejamos secar.

16- Una vez seca, bruñimos las superficies frotando con un paño de algodón limpio. Conseguimos un brillo profundo y satinado que embellece la madera.

17- Las piezas de latón, al ser nuevas, contrastan con la madera vieja. Para matizar el brillo del latón y unificar los acabados del baúl teñimos la superficie de los elementos metálicos. Disponemos una cantidad generosa de betún de Judea en un paño de trama gruesa y lo aplicamos golpeando suavemente sobre todas las superficies visibles de latón. Luego dejamos secar.

18- El resultado de la renovación es la transformación de una caja de embalaje vieja en un atractivo baúl rústico que servirá para guardar nuestros objetos personales.

Glosario

Acetona

Líquido incoloro, inflamable y volátil que se obtiene del líquido que se produce en la combustión de la madera. Se emplea en muchas síntesis industriales y como disolvente.

Adhesivo

Materia que sirve para unir dos superficies. Según su naturaleza puede ser: sintético, mineral, animal (cola) o vegetal (goma).

Aleación

Metal resultante de la unión, al fundirlos, de dos o más metales.

Armazón

Conjunto de piezas de sostén sobre las cuales se arma una pieza; en el caso de un mueble, los paneles.

Bastidor

Armadura con su parte interior hueca, sobre la que se tiende un elemento que se sujeta a los lados. En una puerta son el conjunto de piezas que sirven de soporte a los paneles.

Bisagra

Conjunto de dos piezas, generalmente de hierro, articuladas en un eje, que permiten colgar puertas en un bastidor y girarlas.

Bisel

Corte oblicuo realizado en ángulo de 45° en el extremo de una moldura, listón, panel...

Broca

Barrena intercambiable que se acopla a las máquinas de taladrar. Hay brocas para madera, para perforar paredes o para metal.

Caja

Encaje o agujero rectangular que se practica en una pieza para ensamblar una mecha.

Carnauba

Sustancia de color grisáceo que tiene una consistencia más dura y frágil que la cera de abeja. Se extrae de una variedad de palmeras y proporciona dureza una vez mezclada con la cera de abejas.

Cenefa

Banda de papel, plástico u otro material con dibujos o motivos repetidos que se aplica generalmente en el borde de un espacio como adorno. En los muebles y objetos las cenefas suelen tallarse en la madera.

Clavija

Pequeña pieza de madera en forma de cilindro ligeramente cónico que se utiliza para sujetar y reforzar uniones.

Consolidar

Dar consistencia al material reforzándolo, impregnándolo con líquidos adhesivos o manteniendo la adhesión de dos capas.

Decapar

Eliminar las capas de barniz o pintura que recubren una madera.

Decolorar

Cambiar, usualmente consiguiendo un tono más claro, el color de una madera aplicando sustancias químicas.

Encaje

Caja.

Encolar

Unir dos partes usando cola como adhesivo.

Enea

Planta de hojas largas y estrechas que crece en lugares pantanosos. Las hojas se emplean, trenzadas, para confeccionar esteras y asientos de sillas.

Ensamblar

Unir dos piezas por el sistema de caja y espiga.

Esencia de trementina

Aguarrás purificado, se emplea como vehículo en cierto tipo de pinturas y como disolvente.

Espiga

Mecha.

Estructura

Conjunto de piezas que, unidas, forman el esqueleto de un mueble u objeto. La estructura soporta los elementos de cierre, compartimentación, decorativos...

Faldón
Parte de un tablero o pieza rectangular amplia de madera que sobresale por la zona inferior de un mueble y que usualmente no forma parte de la estructura.

Herrajes
Conjunto de piezas metálicas, especialmente de hierro, con las que se guarnece un objeto o un mueble.

Herrumbre
Óxido que se forma sobre los objetos o las partes metálicas. En ciertos casos, dependiendo del tipo de metal, contribuye a su conservación.

Hisopo
Utensilio empleado en restauración para la limpieza de superficies. Es posible confeccionar uno mismo un hisopo con un palillo de madera largo de grosor medio enrollando un fragmento de algodón en su extremo.

Incrustación
Decoración de la superficie de la madera maciza que consiste en embutir en incisiones previas piezas de madera, hueso, metal y otros materiales.

Inglete
Ángulo de 45°. Unión de dos molduras cortadas a bisel, de modo que al unirlas forman ángulo recto.

Lijado
Acción de frotar con papel de lija una superficie para que quede lisa, pulida y libre de imperfecciones.

Marquetería
Decoración de la superficie de la madera que consiste en adherir sobre ésta fragmentos de chapa de diferentes maderas u otros materiales de tal modo que queden al mismo nivel.

Mecha
Zona de la parte final de una pieza de madera, de sección rectangular o cilíndrica, que se deja más delgada que el resto, lo cual permite que encaje y quede sujeta en el agujero de otra pieza.

Mediacaña
Listón o moldura cóncava de perfil semicircular.

Moldura
Elemento decorativo de relieve y perfil uniforme. Existen molduras simples y molduras compuestas.

Montante
Elemento vertical de la estructura o armazón de los muebles sobre el que van montadas otras piezas, como los travesaños y los paneles.

Neutro
Sustancia que no es ácida ni básica, de pH 7.

Panel
Cada una de las porciones lisas de un tablero limitadas por montantes y travesaños, molduras o pilastras.

Parafina
Sustancia blanca sólida que es una mezcla de hidrocarburos y que se obtiene destilando entre otros lignito y hulla.

Pátina
Tono, color y calidad que toma la superficie de los objetos antiguos con el paso del tiempo.

Rebajar
Disminuir el grosor de una pieza de madera, extrayendo materia al cortarla. Las herramientas que se usan para rebajar son el cepillo, el formón y la gubia.

Reintegración
Reponer una zona o pieza que falta.

Repelo
Conjunto de fibras que en la superficie de una madera se levantan en dirección contraria a las demás. El repelo de la madera se levanta al mojarla.

Solución sobresaturada
Solución de un componente en otro que ya no puede recibir más de uno de ellos y precipita.

Torniquete
Sistema de sujeción consistente en una cuerda ancha que se dispone alrededor de las superficies que se deben sujetar y que se aprieta en mayor o menor medida efectuando torsión con una pieza de madera.

Travesaño
Elemento horizontal de la estructura o armazón de los muebles que une dos partes opuestas y que, en ciertas piezas de mobiliario, sujeta, junto con los montantes, los paneles.

Trementina
Esencia de trementina.

Veta
Hebra o vena de la madera.

Visillo
Cortina confeccionada con un tipo de tela fina, algo transparente. Usualmente se sujeta con varillas en sus extremos.

Xilófago
Insecto que parasita la madera. Algunas especies se alimentan de ella.

AGRADECIMIENTOS

A María Fernanda Canal por confiar nuevamente en nuestro equipo para este proyecto. También a Adriana Berón por su ayuda y entusiasmo y a Joan Soto por sus acertadas observaciones.

A Marc Salvador, Sergi, Josep Pascual, Montserrat Cuadras, Isabel Juncosa y Magda Gassó por su paciencia, apoyo y constante ayuda.
Eva Pascual

A Miguel Patiño, Charo Garcigoy, Alba, Joan García y Jimena Gómez por su gran ayuda. También a Julisa Urbina por su colaboración técnica en la restauración de ciertos muebles.
Mireia Patiño

A Sergio Milán y María Isabel Viloria por su inestimable ayuda y colaboración.
Ana Ruiz de Conejo

Comercial Gumi
Material de protección laboral
Travesía Industrial, 111
08907 L'Hospitalet de Llobregat
Barcelona

Estudi de Restauració
Felip II, 227
08027 Barcelona

Els Encants del Carme
Carme, 70
08002 Barcelona

RESTAURACIÓN Y RENOVACIÓN DE MUEBLES

Dirección editorial:
María Fernanda Canal

Coordinación y estilismo:
Adriana Berón

Textos:
Eva Pascual Miró

Proyecto y realización de los ejercicios:
Eva Pascual Miró: desinfección
Mireia Patiño Coll: restauración
Ana Ruiz de Conejo Viloria: renovación

Diseño de la colección:
Josep Guasch

Maquetación y compaginación:
Josep Guasch

Fotografías:
Nos & Soto

Archivo ilustración:
Mª Carmen Ramos

3ª edición: marzo 2010
© Parramón Ediciones, S.A.
Rosselló i Porcel, 21, 9ª planta
08016 Barcelona - España
Empresa del Grupo Norma
de América Latina

www.parramon.com

Dirección de producción:
Rafael Marfil

Producción:
Manel Sánchez

ISBN: 978-84-342-2310-3
Depósito legal: B-7.194-2010

Impreso en España